ものづきあい

中川ちえ

アノニマ・スタジオ

Adoçante em pó
SALT
INGREDIENTS: SODIUM CHLORIDE, POTASSIUM IODIDE, SODIUM BICARBONATE, DEXTROSE, SODIUM SILICO-ALUMINATE.
DISTRIBUTED BY Nugget Distributors, Inc. STOCKTON, CA 95204
kaloriefri sødemiddel
2
MESETAS
Pimienta
peper Peper
Salz

C.C.
52
Sal
iodado
Pimenta Negra
Moida
KOFFIE
Rademaker
HOPJES
HOLLAND
5

東京から引越しをして千葉の実家へ戻って暮らすことになった。実家のある駅は、一時間半ほど電車に揺られていれば都心に着く距離。それでも近くにはひと息つくためのカフェや大きな書店もコンビニもなく、引越しをするまではウダウダと不安になることばかり考えていた。それがいざ戻ってみると、自分が生まれ育った場所だからだろうか、自分でも驚くほど不安はどこかに消えて、水が変わってもすぐに泳ぎ出す魚のように、時間の流れも土地の匂いもするりと肌に馴染んだ。

淡々とした毎日を過ごしながら徐々に暮らしのペースを取り戻した頃、忘れていた何かをハッと思い出すように、どこか物足りなさや違和感を覚えるようになってきた。それは都心の喧騒やスピード感、便利さが恋しくなったわけではない。もっともっとちっぽけな日々のこと。朝食のコーヒーを注ぐ器を「今日はどれにしようか」と考えたり、いただいたお土産のお菓子を載せるお皿を選び、それらを拭くためのキッチンクロスもせっせと洗濯したり。洗面所の片隅や窓辺には小さな野の花をちょこんと生け、夕ごはんの献立は何にしようかと頭を悩ます。そんな風に好きな器、調理道具、手触りや色で選んだ布、毎日使う道具ではないけれど、いつの間にか集まったものたちを思うように取り入れることができずにいる暮らし。じわじわと感じた違和感は、日々の生活の中で当たり前にしていたことができないもどかしさだった。

出会った場所や人のことを思い出させてくれたり、手にすることで表情を変えていく道具や器、雑多なもの。なくても毎日はなんとなく過ぎていくけれども、そこにあることで自分の暮らしを心豊かに積み重ねることができるもの。私が居心地の良さを感じる暮らしは、それらの「もの」とともに形づくられていたことに今さらながら気づかされたのだ。

辞書には載っていない「ものづきあい」という言葉。ものはものでしかないし、笑いも泣きもせず何も語りさえしないけれど、ものからは色々なことを教わっている。使いながら生まれる愛着や、日常の生活の中で目にするものたちからは、感じ取れることがたくさんある。私にとって、ものとのそんなつきあいは、「人づきあい」と同じように大事なことだと思っている。

ものづきあい
もくじ

引越し

　自分は持ち物が少ないほうだと思っていた。それが大きな間違いだったことに気付いたのは、引越しのために荷物をまとめ始めたときだった。最初は「ん？　思ったより多いな」くらいの悠長な感じでいたのだが、やってもやっても終わらない作業を前にして途方に暮れた。狭いと思っていた部屋に、どうやったらこんなにものが収まっていたのだろう。これはある意味収納上手ともいえるのか？　いやいや違う。自分では十分すっきりと暮らしていたつもりでいたのに、「つもり」というのはおそろしい。その前の引越しは、実際荷物が少なかったから、増えた荷物はどうやらここ何年かのものということだ。

　単純に今あるものを片っ端からすべてダンボールに詰めるだけなら、

梱包はさほど苦にならない。けれどそこに「選別」という作業が入ってくるから思うように進まなくなる。「残す」「フリーマーケットに出すか、人にあげる」「捨てる」。選ぶのは三択だから難しいことはないはずなのに、ものを前にして悩む。潔くと思いつつも、持っていたものを「捨てる」ということは、ゴミ袋が大きく膨らんでいくのと同じように、心の痛みも膨らんでいく。

キッチン道具は使うものがわかっているから迷わず即梱包。器も量は多いけど、ひたすら割れないようにしっかりと包んでいけばいい。洋服にはあまり執着がないので、気に入っているものだけを選り分けたら、本当に少しだけしか残らなかった。この辺までの作業はスムーズに進んでいた。時間がかかったのは、道具でもなく雑貨と呼ぶのともちょっと違うような、分類のしようがない雑多なものたち。「雑多なもの」とひとくくりにして簡単に言ってしまえばそれまでだけど、これが一番難しい。拾ってきた石ころや錆びた針金。旅先のカフェの角砂糖やチケット類……挙げていったらきりがない。毎日使うものでもないし、家のどこかに飾って愛でていたわけでもない。人から見たらガラクタにしか見えないかもしれないけれど、そういったこまごましたものは私にとってどれも、捨てられない大事なものなのだ。それぞれに思い入れがあって、忘れっぽいこの私が、どうやって手もとにやってきたかをひとつひとつ鮮明に思い出すことができる。「これ何だっけ？」というものはほとんどない。

すっきりと暮らすためには、きっとそういうものこそ記憶の中にだけしまいこんで、捨てる部類に入れるべきなのかもしれない。けれど私にとってそれらは、何かのアイデアソースになったり、忘れていた記憶をフッと思い出すときのスイッチのような役割になっているようにも思える。色々と悩んだ末に、結局たくさんの中から厳選したものだけを手もとに残すことにした。

まとめた荷物を運び込む先が、まっさらの空間だったらこの作業も一度ですんだのだけど、自分が生まれ育った場所に戻るわけだったから、実家に置いていた荷物も見直さなければならなかった。こうして幸にも不幸にも、ものとの対話という試練が同時期に二度やって来たのだ。

　自分の部屋はひとり暮らしを始める前に整理したとはいえ、必要なものを運び出しただけで、ほぼそのままの状態だった。そこで選別作業をしなければ、現在の荷物を入れるスペースはない。実家でもまた何日もかけての荷物整理が始まった。さすがに何年も放置されていたものの中には、どうしても残したいものは少なく、ほとんどを処分することにしたのだけれど、当時大事に取っておいたのであろうお菓子の包装紙や袋、缶や箱、こまごまと出てきたそれらのものを見て、自分のことながら可笑しくなった。まるでカラスがキラキラ光るものを自分の巣に持ち帰って、大切にしていたみたいだ。

「大して変わっていないんだな」。そう思うと苦笑いする反面、どこかでホッとしている自分もいる。好みや必要なものは年齢を重ねるごとに少しずつ変化しているとはいえ、そのときどきで大切に残しておきたい何かがあるのは悪くないなと思ったりもする。それは「あれもこれも」と抱え込んで、ものが溢れるほど残したいというのとはもちろん違うし、形があるものとも限らない。いずれにしても「これだけは」と自分が思えるものは、それがたとえガラクタのようなものでも大切に残しておきたい。

引越しが終わり、しばらく経って落ち着くと、そんなことをつらつらと考えるようになった。煩わしいとも思えた引越し作業も、自分の今の暮らしを確認するには、良い機会になったようだ。

食器棚

実家で暮らすようになって、まず困ったのが私の持っている器たちの行き場だった。台所にはすでに食器棚が鎮座しており、そこには両親が使い続けている器がぎっしりと詰まっている。私の器が収まるはずもなく、たとえ頻繁に使う器だけ入れたとしても、きちきちに重ねて使いづらくなるか、欠けてしまうのがオチ。そうかといって引越しの梱包をしたままの状態で、使わないのは器が気の毒だ。

日々の暮らしの中で色々な料理や飲み物などと出会い、洗われ、拭かれて手にされることが器の役目であり、器にその場を作ってあげるのが使い手である私がやるべきことなのだろう。無意識に手にしていた好きな器たちを、当たり前のように取り出して使えない寂しさやもどかしさによって、自分にとって暮らしの道具というものの存在が、どれだけ大きなものか思い知らされた。ささやかと思えることでも、自分にとって大切なことは守りたい。今まで通りとまではいかなくても、器たちの居場所をつくり、使いやすいように環境を整えていくしかない。たとえゆっくりでも少しずつでも、一から自分の暮らしというものを立て直していこうと考えた。

まずはとにかく器をしまうための棚が必要だ。家具はあまり増やしたくなかったけれど、そうも言っていられない。かといって簡単な組み立て式の棚というのも、今の気持ちにも器にもそぐわない。間にあわせにしてしまうぐらいなら、かえってないほうがいい。台所には棚を置く余裕はどこにもないから、考えた挙句、「隠居部屋」へ置くことに決めた。「隠居」とは、かつて祖母が暮らしていた実家の母屋の隣にある建物。築百年ほど経っているとはいえ、ただただ古いというだけで、何の変哲もない平屋だ。使わないままでは傷みも進む。棚を置いて行き来をすれば、空気の入れ換えを兼ねることもできてちょうどいいだろう。そんな場所には新品のピカピカした家具はどう考えても似合わない。できれば使い込まれて時間が経ち、親しみを感じさせるようなこなれたものがいい。木の色は柱や鴨居と同じトーンの少しあせた暗めの茶色。置き場所にする予定の何もない空間と、梱包を解き、床に並べた器たちを何日も何日もぼんやり眺めながら、棚が置かれたイメージを膨らませていた。それは更地を見ながらこれから建つ家を想像するのと少し似ているかもしれない。違うことは家が建つようなワクワクした気持ちはなくて、まだ見ぬ理想の棚を静かに待っていたという感じだろうか。早く見つかるに越したことはないけれど、焦っていたわけではないし、イメージしていればそのうちきっと出会えるはずだと勝手に思い込んでいたのだ。

そんな風に思っていたら、出会いは突然やってきた。棚は三重県亀山市の関町にあるギャラリー「而今禾《じこんか》」にあった。「而今禾」では作家の作品の他に古道具も扱っている。だから探し始めた頃からイメージにあうようなものがないかどうか、相談してみようと思っていたのだ。町のお祭りが行われた七月下旬のこと。前の年に見た夏祭りのことが忘れられなくて、その年も同じ時期に友人夫妻と訪れることにした。棚のことを頼むのは、遊びに行くほんのついでくらいの気持ちだったけれど、イメージしていたものが思いのほか簡単に店内で見つかってしまった。

その棚は器を展示するための什器として使われていたもので、このときはじっくり検討するというよりは「あっ！　これ」という直感が先だった。後から値段を聞いたのだが、あまりの安さに驚いた。その理由はあるはずの棚板が、あたかもそこには棚板などなかったかのように、途中からきれいに切断されていたからだという。どう考えてもそこに棚板があったほうが収納量は増えて便利なはずなのに。前の持ち主がそこを切断してまで入れたかった背の高いものは何だったのだろう。花器や置物か、それとも飲食店で使っていて一升瓶か何かをしまっていたのだろうか。人の手から渡ってきたものは、そうやってどんな風に使われてきたか物語を空想できるからおもしろい。実際に真相を知ったからといって、何かが変わることは多分ないけれど、思いを自由にめぐらせられる余白のようなものが、まるで手紙のように、引き継ぐ私へ渡されたみたいで嬉しくなってくるのだ。

大きさもほどよく収まった食器棚は、いい意味で上等でなく、大袈裟だったり偉そうな感じがしないところが「隠居」という空間にあっている。棚の引き戸には昔の手法でできた薄いガラスがはめ込まれ、よく見るとシュワシュワと浮かんできたような小さな気泡が入っている。ガラスの表面は水溜りにできた氷みたいに少しゆがんでいて、中にしまった器が今までとはほんの少し違う表情に見える。

ようやく器の居どころが定まってひと落ち着き。棚の真向かいに正座して、気になる一点をしばらく見ていると、あの場所に棚板はあったほうがいいとやっぱり思う。サイズをあわせた木で棚板を取り付けてみることにしようか。受け取った手紙に返事を書くように、またあれこれ思いをめぐらせてみる。

而今禾
三重県亀山市関町中町596
電話0595・96・3339
http://www1.ocn.ne.jp/~jikonka/

サビサビとちまちま

引越しを機に自分の持ち物をあらためて見まわしてみて、ひとつ気付いたことがある。「どうやら私は錆びついたものが好きらしい」。これには、まったく自覚がなかった。「何を今さら……」と、もうひとりの自分に背中をポンポンと叩かれて諭されるような気がしてしまうけれど、本当に無意識といっていい。「気付いたらいつの間にか」という感じなのだ。道端で拾ってきた針金。車に何度も踏み潰され、もとが何だったのかわからなくなった鉄片。黒く酸化したワイヤーのカゴ、色々な形の五徳、骨董市で見つけた「へんてこりん」な道具……。ぎゅうっと握ったら間違いなく手が汚れそうなものばかり。何かに使うための目的があって手にしているというよりは、偶然できた錆び具合と形の組みあわせのおもしろさにただ惹かれて、後から使い道を考えることが多い。

一方、「ちまちました小さなものたち」には普段から好きだという自覚はあった。引越しの際も小さなものたちはそれぞれ大切に梱包材でくるんで、空の靴箱にまとめて入れておいた。荷ほどきのとき、中味もわかっているくせに何となく宝箱のふたを開けるようでわくわくした。中には梱包材をひとつひとつ注意深く取っていかないと、間違って捨ててしまいそうなほど小さいものもある。私にとって小さいものはそのサイズ感覚やバランスが重要で、もし同じデザインでも大きかったら同じようには惹かれなかったかもしれないものもある。ただこちらも、心が動いてものへ手が伸びる瞬間までは無意識で、「何てかわいらしいんだろう」と手のひらの上に載せて見つめているときに「また、ちまちましたものを手にしている！」とようやく気付く。まったく自覚がないままか、後で一応気付くという違いだけなのだが。たくさんのものが置いてあるお店や蚤の市、道端などで、どうしてそういったものに気持ちが引っ張られるのか、自分でもよくわかっていない。

オランダへ旅行に行ったときに立ち寄ったおもちゃ屋さんでもそうだった。今では友人の出産祝いを探すなどの機会がなければ、おもちゃ屋さんに行くこともあまりないけれど、子供服のお店で働いていた頃には、何となく気にかかってよく足を運んでいた。その名残か、旅先で古くて小さなおもちゃ屋さんを見かけると、ちょっと覗いてみたい衝動にかられることがある。オランダで見つけたお店も最初は、たくさんのおもちゃがごちゃごちゃと飾られた外の小さなウィンドウをジーッと見ていただけだった。間口も狭いし、「何か買うのでなければ入りづらいなあ」と思いながら眺めていた。するとと小さなミニチュアの黒いミシンが目に留まった。カメラのレンズのピントがそこだけピピッとあうみたいに。

別にドールハウスのミニチュアを集める趣味があるわけでもないし、そのお店もたまたま置いてあるという感じで、飾られていたミニチュアはひとつだけ。とりあえず気に入ったものを見つけることができて「よおし」と勢いをつけて店内に入ると、まるでサンタクロースのようなおじいさんがお店の奥から顔を出してきた。おもちゃ屋さんにはぴったりの風貌だ。英語もままならないのだから、オランダ語はもちろんあいさつ程度。身振り手振りでどうにかこうにか黒いミシンを指差して、ウィンドウから取り出してもらった。小さなカウンターテーブルの上で手に載せたり置いてみたりしていると、おじいさんは「ちょっと待ってよ」というジェスチャーをして、何か小さなものをガサゴソと箱から取り出してポンと置いた。それは木でできた高さ三センチほどの小さなコーヒーミルだった。おじいさんはミルを手に取ったかと思うと、得意そうに太い指先でハンドルをジリジリ鳴らせてまわし始めた。ちゃんと音がするような仕掛けになっていたのだ。私は手を叩いて喜んで、ミシンとこのミルを買うことにした。おじいさんは背の低い私のことを、たぶん小学生ぐらいにしか思っていなかったんじゃないかという気が今でもしているが、まあ、よしとしよう。

「サビサビ」も「ちまちま」も、人から見たらどうかわからないけれど、自分では集めているという意識はまったくない。コレクションするようなものとは違うし、むしろ意識して集めるようになったらつまらないと思っている。それらは「錆びている」「小さい」というキーワードを外してみれば、案外と脈絡がないからだ。自分でもよくわからない加減がおもしろいし、心の中にそのくらいの余裕というか、曖昧な感じは残しておいても良いのかなと思ったりもしている。きっとまた何かの機会に手もとに集まってきたものを見つめ直して、ハッと新たに自分の好みを気付かされることもあるのだろうから。

アルミのコーヒーメーカー

「サビサビ」や「ちまちま」と並んで、私がものに対して愛情を込めて使う言葉に「へんてこりん」がある。「変」と「へんてこりん」は似ているようで私の中での位置づけはまるっきり違う。「変」はスパッと切り捨ててしまうようなマイナスの印象が強いけれど、「へんてこりん」となると距離感がグッと縮まって、人なつっこい感じがする。手もとの辞書で調べてみると、同義語に「へんちくりん」という言葉もあったが、これは「ちんちくりん」に近い気がしてまたちょっと違ってくる。私が考える「へんてこりん」は、決して狙ったおもしろさではなく、真面目なのに……いや、真面目だからこそ生まれてくるおもしろ味を含んでいるようなニュアンス。木琴を叩いたときのような言葉の響きもいい。

「サビサビ」や「ちまちま」は見た目そのものを表しているから他の人にも伝わりやすいのだけど、「へんてこりん」がどんなものを指すかは、私が受け取るそのときどきの感覚だけが基準だから、なかなか説明が難しくなってくる。

お気に入りの「へんてこりんなもの」のひとつに、アルミでできたコーヒーメーカーがある。これは、大阪で「シャムア」という雑貨店を営む松橋恵理子さんからいただいたもの。お店でアンティークなども扱う松橋さんは、日本の古道具屋でこれを見つけたそうだ。けれども刻印には「RIO DE JANEIRO」の文字がある。ブラジルからどういう経路を辿ったのか日本へ渡り、松橋さんの目に留まって今はウチにある。

刻印には他に「CAFETEIRA BURASILEIRA」と書かれている。中に付いているネルはコーヒーで染まって使用した形跡があるが、カフェで使われていたものなのだろうか。ブラジルへは行ったことがないけれど、ビビットな原色が映えるまぶしい日差しの中、カフェのラジオから軽快な音楽が流れているところを想像してみた。そこでは派手なシャツを着た白髪混じりのおじさんたちが、パイプ椅子に座ってこのアルミのコーヒーメーカーでいれたコーヒーをマグカップで飲みながら、午後のひとときを過ごしている。そんな想像通りの素敵な空間、「CAFETEIRA BURASILEIRA」が今も実際にあったとしたら、いつかブラジルを訪れてみたい。

そこまでふわふわと想像しながらも、家にやってきたときからコーヒーメーカーはオブジェのような扱いで、棚の上に置かれている。初めて家に遊びに来た人は、必ずといっていいほど「あれは何？」と聞くくらいちょっとした存在感がある。私も「ふふん」と得意になって、フタを開けたり本体を取り外して見せたりしながら説明するけれど、実際にコーヒーメーカーとしては使っていない。

本来のコーヒーメーカーの使い方としては、まず細長い管の部分にお湯（もしかしたら水）を注いでから、一番下の穴の部分に火を点けたアルコールランプを入れる。すると太い缶詰のような形をした本体に熱が伝わって、その熱で押し上げられるようにしてネルに入った豆にお湯がポタポタと注がれていく仕組みになっている。つまり手で調節しなくてもネルドリップのコーヒーをいれることができる自動式ネルドリップコーヒーメーカーということらしい。いれ終わったら上部のポットの形をした部分を本体から抜き取るようにして外し、カップに注ぐ。自動といってもかなりアナログ式だ。どこか実験道具のようでもある。手でいれるネルドリップも、道具はネル、ドリップポット、サーバー、もしくはカップがあれば十分で、そんなに大変なことでもない。何もこんなに大がかりな道具にしなくても……とつい思ってしまうし、どこか滑稽な気もして可笑しさもこみ上げてくる。でも「自動」ということを真面目に考えて作り出した誰かがいるのだ。よくよく考えるとそういう部分に「へんてこりん」を感じているのだと思う。

以前にデンマークの蚤の市で、これとほぼ同じものを見つけたことがある。どんな経緯で渡ったのかはわからないけれど、真面目な製作者のおかげで、ひょっとすると便利な道具として世に広まった時期があったのかもしれない。

このコーヒーメーカーは、高さ約三十センチ。大がかりな姿をしているのに、アルミでできているから片手で簡単に持てるほど軽い。軽いとはいえ、手で持ち歩くにはかさ張る。普通大阪からだったら配送するような大きさだ。けれども松橋さんは「直接渡したいから」と、自分の荷物もあるというのにわざわざ手で抱えて、大阪から持って来てくれたのだ。その温かい気持ちが、実際の重さの何倍にもなって伝わってくる。

シャムア
大阪市西区北堀江1-6-4　欧州館3階
電話06・6538・9860

小さな小さなコースター

何年か前の十二月。友人五人と九州へ旅行に出かけたことがある。食いしん坊六人の目的は「美味しいものを食べに行くこと」。食欲というシンプルなお目当てのために、大の大人がどうにかこうにかスケジュールをやりくりして、年の瀬の押し迫った冬の日に飛行機に飛び乗った。私たちはこのウカレた旅を「大人の修学旅行」と呼んだ。

私たちを動かすきっかけとなったのは食欲だったけれど、どうせ行くならとつい物欲のほうの食指も動いてしまう。だから「時間があったら行ってみたい」というお店を、出かける前に何軒かリストアップしておいた。そのリストの中で「どうしても」というお店が福岡県うきは市にある「四月の魚」だった。雑誌で見かけた、大きく育った金木犀の木が目の前にあり、かわら屋根に白い壁の建物。そんな絵に描いたような場所を、いつか自分の目で見てみたいとずっと思っていたのだ。

「四月の魚」は靴を脱いで上がる。木枠のガラス窓から天井の高い店内に光が入り、外を望めばあの大きな金木犀が見える。古いものと一緒に作家の作品も並んでいて、それらがどれも魅力的なのだ。

そんな想像以上に気持ちの良い空間で出会ったのが、平岡あゆみさんのコースターだった。平岡さんの作っているものには以前から興味があって、いつかお会いしてみたいと思っていた。ご自身のホームページも見ていたけれど、作品を実際に手に取るのはそのときが初めてだった。

「行ってみたい」と思っていた場所で、「会ってみたい」と思っていた方が作ったものに出会えた偶然が嬉しく、小さなコースターを選んで買って帰った。コースターの大きさは五センチ角。これはかなり小さめのサイズ。これ以外にも大きさは八、十、十二センチとあるのだけど、「ちまちま」好きの私は迷わず小さいのを選んだ。

本来ならコースターの大きさにあわせて、中国茶の茶器のような小さい器を選ぶと安定感もあるし、バランスから見ても一番妥当なのかもしれない。でもあえて少し大きいと思われるアンバランスの器を選んだり、華奢なグラスにあわせて使うのが私は気に入っている。それらのものと組みあわせると、きちんとコースターに重ねあうように気をつけながら器を上げ下ろしすることになる。コースターは器の補助的なもののはずなのに、自然と目がいってしまうのだ。そのクスッと笑ってしまうような小ささや、危うさのようなものに何とも言えないかわいらしさがある。かわいらしさと言ってもそこには甘さはまったくなくて、シンプルだし、どちらかというとキリッとした印象を受ける。

作品には作る人の人柄が表れる。そう考えるとますますお会いしてみたいと思うようになっていた。その後、ウェブショップのみだった「pois é」が二〇〇五年四月にお店を構えることとなった。

狛江市にあるお店に、友人と初めて訪れたのは何月頃だったろう。少し汗ばむほどの初夏くらいだったろうか。小田急線の狛江駅からバスに乗って十分ほど。バス停を降りて道路を渡ればすぐの場所。大きな看板も出ていないので、何かの事務所と思っている近所の方も多いらしい。

ちょっとドキドキしながら引き戸を開けると、真っ白い空間に包まれた。でも病院やオフィスなどの硬質な白の空間とは違って、白い塗装の下の古い建物が持つ落ち着きが、やさしさを与えてくれている。何といっても窓が横長に広く開いているから店内が明るい。そこでバブーシュのスリッパを差し出しながら迎えてくれたのが、平岡あゆみさんだった。

「お店を始めたのは、そろそろ違うことをやりたいねと、夫と話をしていたのがきっかけなんです」

当時会社員だった旦那さまと、ご自宅をアトリエにして、色々なお店に作品を卸していたという平岡さん。そのふたりが力をあわせ、自分たちの世界を見せる空間を作り上げた。ショップでは平岡さんのオリジナルの作品たちと、セレクトされた器や生活道具が並ぶ。狛江という場所もこの物件も、たまたま見つけたものだったそうで、「建物を見てイメージがわいてきて」というわけではないらしい。

もとは会計事務所だったという建物にはたくさんの荷物が置かれたままの状態で、まずはその片付けから始まった。お店の空間を象徴するかのような白のペンキ塗りは、まず居住スペースであるキッチンから始め、慣れたところでようやくショップスペースに取りかかり、ご夫婦ふたりがかりで三度も塗り重ねたとか。作る作品からもうかがえる、仕事のていねいさ。そうかといって、お店の外も中も作り込みすぎるのは、恥ずかしいと平岡さんは言う。その気持ちは私も何となくわかる。人から見たら「素っ気ない」「物足りない」と思われるかもしれないけれど、自分の中でのちょうど良い引き算の加減というものがあるのだと思う。そのいい塩梅の空間が、扱っているものたちを引き立ててくれている。

平岡さんが広島からご夫婦で上京して偶然住むことになったという狛江市は、まだ畑も多く、東京とは思えないくらいのんびりした空気が漂う住宅地だ。お店を始めてからは、さらに地元の人とのつながりもできたそうだ。

初めて「pois é」のお店を訪れた帰り際、「ぜひに」とおすすめされた場所がある。「近くにおじいさんとおばあさんが有機栽培で野菜を育てている畑があって、小さな無人小屋で野菜を売っているんです。どれも美味しいので良かったら行ってみてください」。

食べることが好きな私が寄らずに帰るはずもなく、いそいそと、その畑に向かった。そこには驚くほど大きなオクラや万願寺トウガラシがビニール袋に入って売られていた。しかもどれも一袋百円。チャリンと百円玉を何枚か貯金箱のような箱に入れて帰ってきた。その野菜たちの美味しかったこと。オクラはさっと湯通ししたものを刻んで、大根おろしとミョウガを刻んだものと和えた。オクラの粘り気で全体が一体となって、大根おろしがきらきらする。トウガラシは網で焦げ目がつくまで焼いて薄皮を剥き、しょうが醤油でシンプルに。どちらも夏の味を満喫するいい一品となった。

美味しいもののお陰で「pois e゜」と狛江という土地の印象が、頭と舌の記憶に深く刻まれた。それはなんだか美味しいもの目当てで訪れた九州で、忘れられない「四月の魚」と平岡さんの作品に出会ったときと、どことなく似ているような気がした。

四月の魚
福岡県うきは市吉井町1133-5
電話0943・75・5501

pois e'
東京都狛江市東野川2-6-12
電話03・5497・3653
http://homepage3.nifty.com/poise/

きれいなミシン目

幼い頃から手先を動かして何かを作ったりするのが好きだった。「下手の横好き」という言葉がある通り、それが上手にできていたかどうかは別として。今でも気が向けば編み物をしたり、簡単な縫い物をしたり、それがいい気分転換になっている。ただ私にとって重要なのは、難しいことはしないということだ。大作はもちろんできないし、凝った編み方や手の込んだデザインは技術が伴わないので無理はしない。あくまでも「好きだな、楽しいな」の気持ちが、完成まで持続するものがちょうどいいのだ。

自分が趣味の域を脱せないからこそ、ていねいに作られたものは見てすぐわかるし、強く惹かれる。裁断からアイロンがけ、ミシンの糸の始末など、デザイン云々以前の部分がきちんとしているものは、手に取るだけで気持ちがしゃんとする。子供服の仕事をしていた二十代の頃は、入荷商品のチェック癖が自分の洋服を買うときにも出て、小姑のように細かいところまでよく見ていた。さすがに何年も前のことで、もうすっかり抜けたものだと思っていたけれど、癖というものはなかなか治らないものらしい。

平岡さんの作るものたちを手で触っていると、嬉しくなってくる。鍋つかみの程よい厚みや、コースターの角がきっちり出ているところ。とろんとした感触の麻のバッグなどは布の縫いあわせにズレがなくて、端ミシンの縫い目はまっすぐ美しい。どれも無地の生地を使っているから、細かいディテールが際立つ。

もともと平岡さんはイラストやコラージュ作品を作っていた。その平岡さんが布物を作りはじめたのは、卸先でもあった原宿の「ファーマーズテーブル」の石川博子さんに鍋つかみやコースターを作れる人が誰かいないかと聞かれたことがきっかけだったらしい。「ファーマーズテーブル」のオリジナルを制作しつつ、少しずつご自身の作品も手がけるようになっていったそうだ。

「pois e」で扱う平岡さんのコースターには、「ざくろ」「クルミ」「矢車」「くちなし」など美味しそうだったり、いい香りがしそうな名前がついている。これらは商品の名前というわけではなく、染料の原料名なのだ。染色に関しては「自分の欲しい色がなくて……。ないなら自分で作ろうと思って」と、こともなげに平岡さんは言う。しかも本を読んで独学で学んだそうだ。植物のセレクトも自分の好きなものを選び、後は自分の目指す色が出るように試行錯誤。撚り方が男性っぽいのは気のせいだろうか。平岡さんの華奢な外見からは想像もつかないけど、たくましさも感じられる。

制作に関することなど、お話を伺いにお店に訪れたときには、テーブルの上に炭を使った黒からグレーのグラデーション、ベージュに移行して生成りまで、さまざまな色と大きさのコースターやティーマットが並んでいた。どれもシックな落ち着いた色あいで、ブラインドからもれるやわらかい光に照らされていた。ヘンプの質感も色に陰影を与えてくれる。

訪れたときはちょうど、お昼どき。平岡さんが全粒粉のピザやニンジンのスープを用意しておもてなしをして下さった。まるでその時間を狙って伺ってしまったような形になってしまったが、有り難くご馳走になった。全粒粉のピザは生地がパリパリで私の好み。ネギのトッピングは平岡さんのお気に入りらしい。レシピを伺って、私も自宅でも試してみることにした。

キッチンもお店同様にすっきりとしていて、視界に入ってうるさいようなものは何もない。染色に使う道具も寸胴鍋とボウルに入った色留めに使う錆び釘くらいで、ゴタゴタと材料や道具が並んでいない。まるでキッチン道具の一部みたいだ。ガラス棚に並ぶ器は、数を持たずに使いやすいものを選び、棚ごとお店に展示しても違和感がないほど。ご主人の本がほとんどという本棚も、そこからはみ出してきたら古本屋に持って行ったり、人にあげたりして循環させている。こうしてミニマムにきれいに暮らしている方に出会うと、自分の暮らし方はどうなんだろうかと反省してしまう。何が自分にとって必要か無駄か、私にとってずっと引きずっていく課題かもしれない。

ミシンが置いてある二階の作業部屋もきれいに片付けられ、ミシンの上には道具が木のトレーの上で整列していた。布が散乱してなんてことは想像もつかないくらい凛とした雰囲気。だからあのきれいな仕上りになるのかと納得もできる。

ひとつ気になっていたことを平岡さんに聞いてみた。あの五センチ角のコースターのサイズのことだ。

「ミトンなど他のものを作った後のハギレで、何かできないかな？　と思ったんです。小さめのカップや高台の小さい器にあうと思って」

暮らし方と同様に、無駄を出さないために作られたものだったかと思うと、さらにあのサイズがいとおしく感じられた。

ふたつのカゴ

ピーンと張りつめた冷たい空気が、ほんの少しゆるみ始めると聞こえてくる春の足音。その頃になるとヒョイとカゴを持って、どこかへ出かけたくなる。「ヒョイ」という軽やかな響きは何となく春という季節に似合う気がする。そしてそんな気分にしっくりくるのは、キャンバス地のバッグでもなく、肩から斜めがけをする革のバッグでもなく、私の中ではカゴなのだ。

持ち手が革のカゴ、荷物がたっぷりと入って肩に掛けられるマルシェカゴ、竹で編んだアジア風のカゴ……。色々なカゴのことを考えていたら、何年か前に訪れたオランダのデンハーグという街で見つけたカゴのことを思い出した。

オランダにはトラムという路面電車が走っていて、自転車も車も使えない旅行者にはとても便利な交通手段だ。乗車してチケットを機械に差し込むと、ガッシャンという音をたてて日付と時間が印字されるというアナログなシステム。街の中心を走るトラムの車窓からは、運河などのオランダ特有の風景と同時に、そこで暮らす人々の日常の空気を感じ取ることができる。車や自転車、郊外を走る普通の電車とも違う速度の中で、ガタンゴトンと揺られながら流れていく景色は、まるで映画のワンシーンを見ているみたいだ。民家の窓辺に飾られた鉢植えの隣でこちらを見下ろす猫。赤・白・グレーと色分けしたファイルが本棚に並ぶスタイリッシュなオフィス。建物の窓の多くはカーテンが開け放たれているから、トラムが建物に沿って走ると、部屋の中まで見えてしまう。掃除好きのオランダ人が「どうぞ見てください」というように、そうしているんだよと、当時オランダに住んでいた叔父が教えてくれた。

車窓からの景色を飽きることなく眺めていると、店先にたくさんのカゴが置いてある一軒のお店が目に留まり、気になって途中下車をすることにした。小さな店内には普通の買い物カゴはもちろん、ショッピングカートや犬用のベッド、鳥カゴや小さなベビーカーまで、柳や麻、木の皮など、さまざまな素材で編まれたものがところ狭しと並んでいた。私が店内を見まわしていると、お店の奥からおじさんがひょっこりと顔を出した。店内に並ぶカゴはおじさんの手作りだそうで、どうやら奥が作業場になっているらしい。目につくものを手に取りながら選んでいると、何やら話し声が聞こえてきた。「確かお店にはおじさんひとりのはずだったけど……」。そう思いながらキョロキョロしていると、おじさんが笑顔で作業場のほうを指さした。カゴの材料で溢れた部屋を覗くと、そこにいたのは一羽のオウム。話し声の主はオウムだったのだ。見知らぬ外国人に身構えたのか、急にオウムは小声になった。耳を澄ませてよく聞いてみても、ペラペラとしゃべる言葉はオランダ語なのでさっぱりわからない。「コンニチハ」と日本語で何度か話しかけたが、黙りこんで首をかしげるばかり。

オウムの相手はあきらめてカゴ選びに集中した。ひとつは太い枝のようなものでできた持ち手で、カゴとのつなぎ目部分に金具が使われている丈夫そうなカゴ。もうひとつは自転車用のカゴ。ハンドルにひっかける針金のようなフックがカゴについていて、取り外して使えるようになっている。自転車王国のオランダならではのカゴだ。そういえばその数日前に訪れた市場で、自転車に乗った女性がこれを買い物カゴにしている姿を見かけて気になっていたのだ。私が選んだのは子供用の小さなもので、どこかに引っかければ家の中でも使えそう。どちらかひとつを選ぶこともできず、かさばることを覚悟して、結局ふたつとも買って帰ることにした。帰り際、オウムに「サヨウナラ」と言ってみたけれど、案の定首をクルクルとかしげるだけだった。

ふたつのカゴは、紙袋に入れられることなく、そのまま手で持って帰ることとなった。両手でつかんで持ってみたり、両腕に通してみたり。どうやって持ってもおさまりが悪く、軽いのにかさばる。そうやってどうにもできないカゴを手にして石畳が続く街を歩いていたら、三人のおばあちゃんが私のほうに近寄ってきた。おばあちゃんの体型はころころとふくよかで、どことなくみんな似ている。仲良し三人組で街にお買い物にやってきたといったところだろうか。そんな彼女たちが「あなた！

空のカゴをふたつも持って、何やってるのよ」とでも言うように、笑いながら私の背中をバシバシ叩いた。日本のどこかでもありそうな場面だ。国が変わっても言葉はわからなくても、通じるものはあるのだ。ひとりのおばあちゃんは「私も一緒よ」という風に、両手に持つ買い物袋を持ち上げて見せて笑った。彼女たちと別れて、ささやかなやりとりを頭の中で反芻しながら再び石畳が続く道を歩き始めた。小さな出会いが旅先で気に入って見つけたものに、より一層魅力を与えてくれたような気がして、ふたつのカゴはかさばって相変わらず持ちづらかったけど、それも何だか嬉しくさえあった。

　ちょっとした旅先の出来事。毎年風が春の匂いを運んでくるたびに、あのふたつのカゴとの出会いを思い出す。

棚板が切り取られた食器棚。一番上の
装飾部分は後から取り付けられた様子。

上段中央／骨董市で見つけた、吊るして使うへんてこりんな道具。売主のおじさんは間に英字新聞を挟んでいた。　下段中央／15センチ幅の大きなクリップ。「LION」というメーカーのものでかわいらしいライオンが小さく刻印されている。

サビサビな上にへんてこりんなものばかり。上段中央／売主も何に使われていたのかわからなかったもの。ペーパーウェイトとして使用。　下段右下／もとはオイル缶だろうか？　形そのものがユーモラス。オブジェのように壁に吊るして。

AMERICA'S LIGHT
1.00
USA

上部がズレて接着してあるところもご愛嬌。

今は使われていない硬貨も。思い出を
シャーレに入れて旅のコラージュ。

上段左／山形の骨董市で買った古いアルコールランプ。　上段中央／小指ほどの小さなレンゲは薬味用に。福岡で見つけた日本製のデッドストック。　下段右／スカンジナビア航空機内で出される牛乳ミニパック。赤い牛のマークがアクセント。

上段中央／おもちゃ屋さんの前で足を止めるきっかけとなったミシン。
下段右／くまがいのぞみさんのミニ片口。銅鍋のように叩いた土肌が印象的。
下段中央／石原稔久さんのオブジェ。箸置きとして使ったり、花器の花留めとしても。

しばらく見ていても飽きない形。
遠いブラジルに思いを馳せてみる。

美しい手書きの文字は平岡さんによるもの。

小さなカフェスペースでは、お手製のチャイやケーキをいただくことができる。

自然の素材から生まれたグラデーション。どれも器に馴染む落ち着いた色あい。

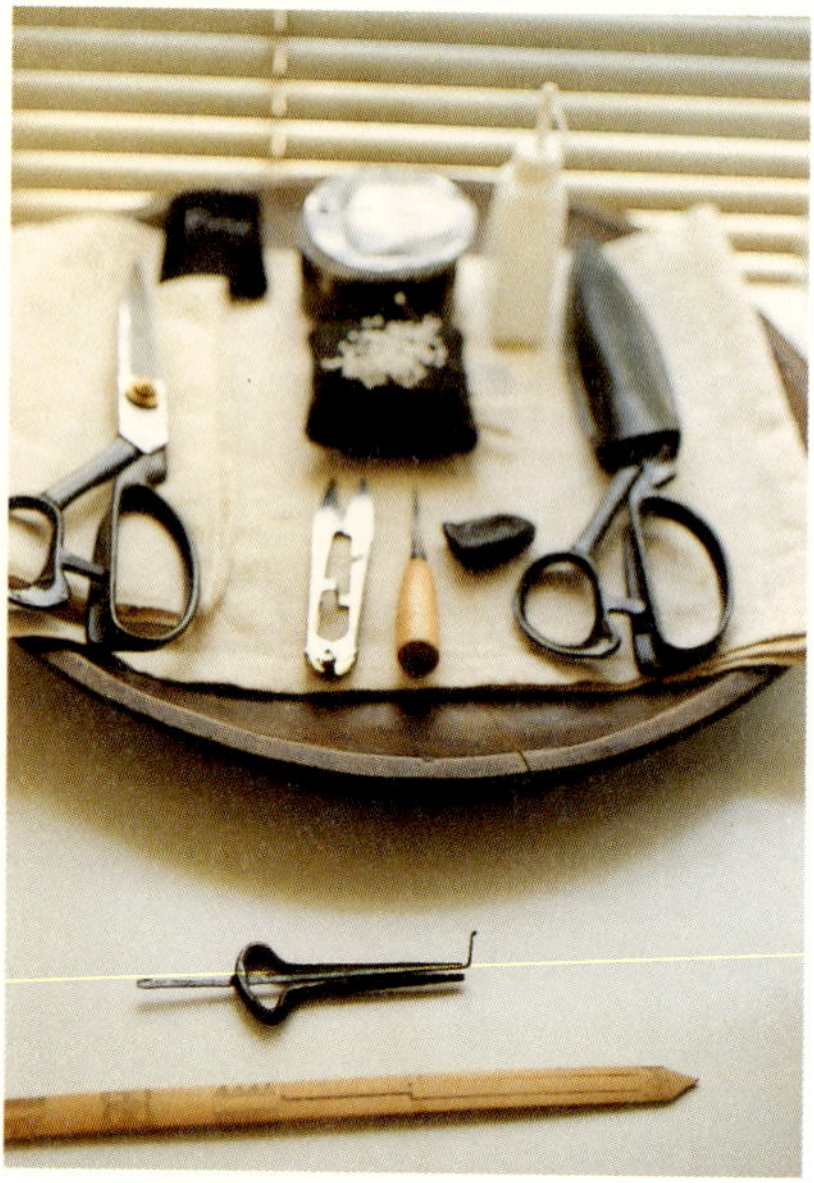

作業台の上に整然と並ぶ平岡さんの道具たち。

染色の素材も一緒に展示した企画展。
素材で色を選ぶのも楽しい。

胡桃（くるみ）

右／オランダで見つけたふたつのカゴ。
編み物道具などの収納場所に。
左／どこに置いてどんな風に使おうか。
そんな悩みも楽しみのひとつ。

日本の古道具で同じようなものもあるけれど、この数字の書体が気に入った理由。

鉄のアイロンとシューキーパー

友人とふたりで初めて北欧旅行に出かけたときのこと。手配したチケットはデンマークまでの往復航空券にスリーフライトがプラスされたもので、あとワンフライト分のチケット代をプラスすれば、デンマーク以外に二カ国を巡ることができる。もちろん私たちは迷うことなく、ワンフライトをプラスして、フィンランド行きとパリ行きのチケットを手配して出発した。

日本から直行便の飛行機で約十時間。空の長旅を終えて最初の目的地、コペンハーゲンのカストラップ空港に到着。最初の印象は空港が静かなこと。静かというより音がない感じ。人が少ないとか、寂しい雰囲気といったことではなく、空港内のアナウンスや嫌なザワザワ感がまったくなくて気持ちいい。空港内の壁面や売店、化粧室などのスタイリッシュなデザインの中にところどころ木材が使われていて、それが音を吸収しているのだろうか。床もフローリング状に板が張られていて、靴音やカートの音も響かずに、長旅の疲れさえ吸い込まれていくみたいだ。自然を身近に取り入れながら大切にしていることが、国の玄関口に足を踏み入れた瞬間から感じられることに感動してしまった。海外に行くと目に入ってくるもの以外では私の場合、匂いでその国の印象が記憶に残ることが多いのだけれど、聴覚でというのは初めてかもしれない。「静かでやさしい国」。これがデンマークの第一印象だった。

その静かな空気感は、街中のカフェやショップでも同様だった。聞こえるか聞こえないかの音量で音楽を流しているお店はあったものの、ガンガンと必要以上の音量で音楽を流しているお店はなく、聞こえてくるのは小気味良く働くギャルソンの足音だったり、楽しそうに話す人たちの会話や笑い声。特にデンマークのおばさんたちの笑い方は豪快で、こちらがつられて笑ってしまうほどだった。

ふたりが楽しみにしていたのは、街中を散策しながら蚤の市やスーパーへ行くことだった。蚤の市やスーパーへ行くと、その国で日常的に使われているもの、何年も使われ続けてきたもの、はたまた倉庫の片隅でしばらくの間、気付かれずに息を潜めていたものなどにバッタリと出会うことがある。気に入ったものがあればお土産として「連れて帰ろう」ということになるけれど、それだけを目的にするのではなく、ものを通してその土地の日常をほんの少しでも垣間見ることができるのがおもしろいのだ。スーパーで売られているトイレットペーパーひとつとっても、白地に細いブルーやオレンジの線が二本入ったシンプルなデザインのものがあったり、牛乳や角砂糖のパッケージもいちいちかわいらしい。その他にも手編みのニットや刺繍の入ったクロス、木とステンレスを組みあわせた工芸品や家具なども素敵なものばかり。暮らしの中で普段目にするそれらのもので素敵なものが多いのは、冬の間家で過ごす時間が長いことと関係しているのだろうか。

デンマークの中心地からバスで向かった「フレデリスクベアの蚤の市」では、業者らしき人たちに混ざって、自分が使い続けたものや作ったものを売っている素人風の人たちも多く見かけた。蚤の市というと、ものも人もゴミゴミとしたイメージがあるけれど、その日は春先の暖かな休日で、みんながぽかぽかの春の日差しを満喫しているような、のんびりとした空気が漂っていた。

あれこれと蚤の市で見つけて日本に連れて帰った中で、鉄のアイロンや木でできたシューキーパーは、どちらも本来の目的のまま、使うつもりで求めたのではなかった。埃だらけのガラクタの中から見つけ出した重い鉄のアイロンは、ドアストッパーかブックエンドに。シューキーパーは壁に取り付けて帽子でもかけたらどうだろうと、それぞれを見つけたときに思いついたのだ。私の思いつきなど売主に伝わるはずもなく、シューキーパーを売っていたおばあさんは「あなたにこのサイズは大きいわよ」と何度も止められた。もちろん親切心で。だから仕方なく「父へのお土産なんです」と親切心のお返しのつもりで嘘をついて、無事買うことができた。

鉄のアイロンは小さい割にはかなりの重量がある。一瞬、荷物のことを考えて躊躇したものの、この重さがあれば思いついた役割を十分に果たしてくれるだろうと出会えたことのほうを喜んだ。ただその後すぐに、荷物の重量はちゃんと考えないといけないことをあらためて思い知らされることとなった。どこかの空港で乗り換えの際に「TOO HEAVY, BE CAREFUL」の赤い札をスーツケースにつけられたのだ。しかも友人とふたりして。犯人は間違いなくあのアイロン。悪者扱いをしてしまったけれど、もともと悪いのは私だ。重量オーバーでなかったことがせめてもの救い。

どうにか空を旅してやってきたアイロンは、今は何ごともなかったかのようにウチにいる。小さくてもデーンと力強く、ドアを押さえることも、重い本も支えてくれる頼りがいのあるヤツなのだ。シューキーパーは、良い思い付きだと思ったのに、どこにも取り付けられないまま何年も経っている。私の空想の世界では、取り付けた景色がはっきりと浮かんでいるのに。そこには少し日に焼けて、いいあめ色になった麦わら帽子をかけたら似合うこともわかっている。頭に浮かんでいる景色のような場所に、この先出会えるのだろうか。靴のためでも帽子をかけるためでもない他の使い道を、そろそろ考えてみなくては。

蚊帳

以前朝日新聞の夕刊で、イラストレーターでアウトドアライターの遠藤ケイさんが「くらしの良品探訪」という連載をされていた。記事の中では、職人の手によって、ていねいに作られた日本全国の工芸品や日用品などが、イラストと文章で紹介されていた。身近な土地で意外なものが作られていたりして、興味深い内容が多く、掲載される水曜日を毎週楽しみにしていた。それらの中には今すぐではないにしても、いつか欲しいと思わせるものがあり、普段は記事をスクラップすることなどあまりしないのに、この記事だけは掲載期間中、ほぼ欠かさず切り取って保存していた。

先日、片付けをしていたらそのスクラップブックが出てきたので、パラパラと眺めていた。久しぶりに見返してみたのだが、「やっぱりいいなあ」と思うものが何点かある。その中でも特に気になっているのが、静岡県磐田市にある「菊屋」の蚊帳だ。蚊帳というと、深い緑色のものを私は思い浮かべるけれど、そこに掲載されていたものは麻でできた軽やかな白の蚊帳。しかも丸洗いの洗濯ができ、ベッド用もあるなど現代の生活に取り入れやすいように考えられている。

夏の晩の、ぬるく重い夜風もさらさらと涼やかなものにして、目覚めたときには麻の白がやわらかな光を通してくれそうなのだ。まるでバリのホテルの天蓋付きベッドの上で横になる気分を味わえそうな気がして、想像するだけでもうっとりする。そんな蚊帳をいつ手にすることができるのか、使えるような暮らしが実際できるかどうかさえわからない。けれどこの記事を初めて読んだときから、「いつかきっと」と思い続けている憧れの品となっている。

深い緑色の蚊帳ならば、おぼろげながら家で使っていた記憶がある。柱から吊った緑の囲いの中で、ふざけて駆けずりまわって遊んでいた。

触ったときのゴワッとした手触りだけはよく覚えているものの、後の記憶は曖昧だ。蚊を避けるという本来の役目や風情を感じたりするということまで、思いが至るはずもない歳頃だったと思う。

その緑の蚊帳を真っ白に漂白した友人がいて、好きなサイズに裁断したものを家の中で間仕切り代わりに使ったり、小窓にカーテンのように吊ったりもしている。昔の蚊帳はでんぷん糊で固められていたので、水を通すと糊が落ちてごわつき感はなくなり、肌ざわりもガーゼ生地のようになる。白くなる上に風合いもまったく違うものになるので、もとが蚊帳だったかは聞かなければわからないほどだ。白い蚊帳を通して、人影や向こう側の景色がうっすら見える感じが効果的に使われていて、春夏などはさわやかで見ていて気持ちが良かった。私も市販されている一重のガーゼ生地を、部屋の間仕切りに使っているけれど、やはり蚊帳の織目を通した透け感とは印象がまったく違うものになる。当たり前のようだが風通しの良さもやはり蚊帳にはかなわない。そういえばこの友人宅の家族はいつも、蚊帳のように風通しがいい。

父が幼い頃には、初夏になると家の近くでホタルを捕ってきて、吊った蚊帳の中で一斉にそのホタルを放したそうだ。当時はおそらく今よりもずっと、夜の闇は深く濃かったに違いない。その闇の中で、部屋のあちこちからぼうっと小さく浮かび上がる螢光は、さぞかし幻想的なものだったろう。ホタルを見ること自体、貴重な体験となってしまった今では、それこそ夢のようにとびきり贅沢な遊び方だ。

蚊帳は夏にしか使わない道具だ。空気が蒸してきたら押し入れから引っ張り出してきて、夏を迎えるためにしつらえる。夏が終わったらまたしまう。今はエアコンも除湿機もあるし、風が必要ならば扇風機を使えばいい。短い夏のために取り出して、しまってという作業は考えてみたら面倒かもしれない。けれどその面倒の中でしか味わえない、季節の趣きを感じることもできる。蚊帳を通した夏の草や蚊取線香の匂い、そよそよと入ってくる夜風、夏の終わりには草むらから聞こえてくる鈴虫やコオロギの鳴き声。昼間には窓を開け放って、そこで本を読みながらいつの間にかウトウトと昼寝をしてしまうなんていうのも最高だ。きっと他のものには代え難い、たっぷりとした時間を味わうことができるだろう。そこまで想像を膨らませておきながら、何となく今の自分には身の丈にあっていないような気がして、「まだまだ」とずっと先延ばしになっている憧れの品なのだ。

菊屋
静岡県磐田市中泉243
電話0538・35・1666
http://www.anmin.com/kaya/

すり鉢を継ぐ

まだマンション住まいをしていたある日、旅先から自宅に戻るとすり鉢が割れていた。めし碗のように毎日手にするものではないからすぐには気付かなかったのだけれど、いつも置いてあるはずの場所にない。まさか足を生やして歩き出すわけでもないのに、どこへ行ったのだろうかと思っていると、様子の違うすり鉢がベランダの隅っこに置いてある。重ねられた大きな陶片。信じがたい状態で声も出なかったが、どこからどう見てもあのすり鉢だ。あまりのショックにめまいがして、ヘニャヘニャとそこへ座り込んでしまった。

「あの」というのは何年か前、「而今禾」を訪れたときに手に入れたすり鉢だ。初めてそのすり鉢を見たときは、店内の三和土《たたき》に置かれ、オレンジなんかが入っていた。それは商品のディスプレイというよりは、日常の生活道具として使われているような様子だった。その健やかな姿に惹かれて、買うというよりは譲っていただいたようなものなのだ。きゅうっと少しひね曲がった口にも愛嬌があって、そこも気に入った理由。手に取ると作った人の熱が伝わってくるようだった。

古いものなので手に入れたときから少しひびが入っていたものの、茹でた大豆をゴリゴリ潰してお味噌をこしらえたり、夏には宮崎出身の友人が「冷汁」を作るときに活用してくれたりと、実用にも耐えた。すり鉢として用がないときには、野菜カゴ代わりに玉ねぎやジャガイモなどを入れていて、する道具以上の役割を果たしてくれた。そこまで欲張って使っていたのは、「而今禾」に置いてあった景色のほうが似合っていることが心のどこかでわかっていたからだと思う。お店の三和土には、木枠の窓ガラス越しからやわらかい日の光が差し込み、すり鉢や他の古道具に陰影を作っていた。古いもの同士がつくる空気には少しの違和感もなく、その様子はひとつの絵のようだった。

絵の中からちぎり取るようにして連れ帰ったすり鉢は、狭いマンション住まいで使うにはかなり大きな道具だったし、その分存在感もあった。だからなおさら浮き立たないように、家の中に早く馴染むように躍起になって使っていたと思うのは考えすぎだろうか。もちろんそれは気に入っていたからこそなんだけれど。そんな私の心の中を見透かすように、もう勘弁してくれと言わんばかりにすり鉢は割れた……そんなふうに感じた。もちろんひとりで勝手に割れたのではない。たまたま上からものが落ちてきてひびに衝撃が加わり、「パリン」と割れたのだ。瞬間を見たわけではないけれど、きっと潔い割れっぷりだったと思う。

よく「かたちあるものはいつかこわれる」と判で押したように言われるけれど、大切にしていたものがこわれるのはやっぱり悲しく、そんなひと言で簡単に片付けられるものでもない。いつの時代のものかはわからないけれど、時間や距離を超えて形を残してきたものだ。ウチにやって来たことで寿命を縮めてしまったような罪悪感もある。後悔しても仕方ないと自分に言い聞かせてはみるものの、やはり未練たらたらである。

幸い破片は粉々ではなく、竹を割ったようにスパーンとふたつに割れていたので、結局自分で継いでみることにした。すり鉢という道具に金粉や銀粉は何だか立派すぎるような気がして、迷った末、渋茶の漆塗料のままにした。今は素人でも簡単に扱えるチューブタイプのものがあり、色もたくさん揃っている。はじめに透明の塗料で割れた破片同士を接着して、その部分が固定するまでビニールテープを貼り何日か置く。塗料が乾いて固定したら、つなぎ目を筆でなぞるように上から茶渋の塗料をのせて、乾いたらでき上がり。扱いが簡単なお陰で、下手ながらも割れたすり鉢を何とか継ぐことができた。もうゴリゴリとすりこ木を当てることはできなくなってしまったけれど、季節の野菜や果物を受けとめる入れ物としての役目にまわってもらうことにした。

その後マンションから実家の古い家にやって来て、浮き立つこともようやくなくなり、継がれたすり鉢は今、台所の隅でどっかりと腰を落ち着けている。

始発の背負いカゴ

二十代に会社勤めをしていた頃、月に一、二度定期的に、関西方面へ日帰り出張をしていた時期がある。始発の電車に乗って、終電で家に帰る。新幹線以外の移動も含めると、片道五時間、往復十時間だ。出張先の滞在時間はせいぜい正味、四、五時間だったと思う。それでも当時は同期の友人たちと「あそこのお弁当が美味しい」だの、新幹線に乗る前に「〝蓬萊〟で豚まんとアイスキャンディを買って帰ろう」だの、仕事以外の小さなお楽しみを見つけて、どうにかこうにかやっていた。

何年かそういう生活を続けていたのに、自分の時間の過ごし方があまりにもスローテンポになってしまった今では、まるで他人の話のような気がしてくるし、同じことはもうできそうもない。ただ今でも懐かしく思い出すのは、始発電車の光景だ。

始発となると、夏ならうっすらと空が白んでくる時間だけれど、冬ではまだシンと静かで真っ暗な時間。乗り慣れたはずの地元の駅が、遠くの知らない町に来てしまったと思うくらい、よそよそしく感じられる時間だ。薄暗いホームへ滑り込むように電車が入って来て、扉が開くと車内の明るさと人の気配にやっとホッとする。人の気配といっても、ラッシュ時の満員電車とはまったく違う和やかな雰囲気なのだ。その空気をつくり出していたのは行商のおばあちゃんたちの話し声や笑い声だった。出張のときはだいたいいつもホームの同じ位置で電車に乗るから、彼女たちと車両が一緒になることが多かったし、どこかでそのことを楽しみにもしていた。

行商のおばあちゃんたちは、幅を太めに割った竹で編まれた背負いカゴに、野菜や手作りのお餅などをたっぷりと詰めて電車に乗っていた。肩に背負う部分はいろんな色の布を使った裂き編みで、いかにも丈夫そうだ。背負いカゴは腰の曲がったおばあちゃんが背負うにはかなりの大きさで、後ろから見るとカゴと足もとがちょこっとしか見えないくらいだった。あの大きさにものが詰まったらさぞかし重いだろうと思うが、車内では元気なおばあちゃんたちは会話に花を咲かせ、ときには商品の物々交換が始まる。私も気になってチラチラと見ていたら、一度だけ手作りの草餅をいただいたことがあった。ヨモギがたっぷり入って、餡子の甘さもほどよく、むっちりとした美味しい草餅だった。

おばあちゃんたちは一体、どこまで行商をしに行っていたのだろう。終点の上野駅で降りるおばあちゃんが多い中で、乗換えをするのか途中下車をする方も何人かいた。その際は背負いかごの他に、いくつかある手荷物を電車からホームに下ろす作業は、始発の顔馴染みになっているらしいサラリーマンのおじさんがリレー方式のように手伝っていた。拍手したくなるほど見事な手際の良さで、微笑ましい光景だった。

昼間の電車に乗ると行商を終えて帰るおばあちゃんに出くわすこともあった。カゴの中味は売れて空になっていたのだろうか。軽くなったカゴが転がらないようにするためか、慣れた様子で洋服のポケットかどこかから腰紐のような布の紐を取り出したかと思うと、網棚の端にヒョイと引っ掛けて、その先をカゴの背負い部分に結びつけていた。カゴは電車の床に置かれてあるとはいえ、網棚から紐でぶら下げられている状態が見ていて可笑しい。でも確かにそうすれば、手で押さえていなくても転がらずにすむわけだ。別の日に会ったほかのおばあちゃんも当たり前のようにそうしていた。電車も空いていたし、どこまでもどこまでも、のどかな空気が漂っていた。

地元の駅や電車には今でも相変わらずゆったりした空気が流れている。都内に出るには時間がかかるけれど、空いている時間の車内の様子や車窓からの景色を眺めるのは案外と好きだし、飽きない。本を読むにもちょうどいい時間だ。けれど背負いカゴを背負ったおばあちゃんたちの姿は、最近見かけなくなってしまった。あのカゴの背負い紐を外して、大きさをもう少し小さくすれば、きっとつくりは丈夫だろうし「洗濯カゴにちょうどいいなあ」なんてことをひそかに考えていたのに。どこで売っているのか、いつか話かけて聞いてみようと思っていたけれど、その機会もなくなってしまった。カゴを売っている場所をただ知りたかったのではなく、あのおばあちゃんたちの会話に混ざっておかずの話なんかを一緒にしてみたかったのだ。始発に乗ることもほとんどなくなってしまったし、電車の中でふんわりと心がほぐれるひとときは、もう記憶の中のものだけになってしまったのだろうか。冬の早朝、温かいあんな車両にならまた乗りあわせてみたいなんてことをふと思う。

一生もの

銀のコーヒーポットを意識して手にすると、空のままでもグッと手首に重さが伝わる。そこへ鉄瓶でわかしたてのお湯をトクトクと注げば、さらに重さはしっかりと確かなものになる。使い始める前はその重さが気になった。鉄瓶も重いから、両方とも毎日使っていれば右腕のちょっとした筋トレになるかもしれないと思ったくらい。けれどそんなことは、使い続けるうちに気にならなくなってしまった。譲れない魅力がその道具のどこかにひとつでもあれば、頭で考えている以上に体は簡単に慣れてしまう。そのことをこの銀のコーヒーポットが教えてくれた。

そもそもこのポットは渋谷の金物屋で偶然見つけたものだ。もう六、七年も前のことになる。渋谷という街と金物屋というのもあまり結びつかない感じだけれど、他に探しているものがあり、「ちょっと覗いてみようかな」くらいの軽い気持ちでたまたま立ち寄ったお店でのことだった。そのときに探していたものが何かは、もうすっかり忘れてしまった。けれどもあれこれたずねたおじさんの背中越し、薄暗いお店の一番奥のガラスケースに鈍く光ったポットが三つ、大きさ違いで並んでいた光景は今でもはっきり覚えている。決してアンティークショップや古道具屋などではなく、街の金物屋という店内だ。ポットはいかにもサンプルという風にどれも薄黒く酸化していた。「あれは銀のポットですか？　見せてもらっていいですか？」「ああ、あれ？」などとやりとりしただろうか。おじさんは滅多に開けそうもないガラスケースの引き戸をガラガラと開けて、黒い姿が当たり前のようなポットを取り出すと、机の上にポンと置いた。

銀のポットを常時置いている一般のお店はなかなかない。百貨店などの売り場で見かけることもあるが、普段使いをするには少々装飾的なデザインのものを置いていることが多い。自分が使ってみたいと思うようなすっきりしたデザインは、ホテルのティールームなどで使われている業務用のもので、欲しければメーカーに直接注文しなければならなかった。銀のポットは「いつか欲しいものリスト」にそれまでずっとエントリーさせていたものの、家には他にもコーヒーポットがあったし、ひとり暮らしで気に入るポットを持っていなかった頃は、柳宗理のケトルを駆使しながら、お湯の量を調節するコツをつかんで何とかしていた。なくて困る存在ではなかったから、注文して今すぐ欲しいという気持ちにまでならなかったのだ。それが突然目の前に現れた。重さを右手で持って確認して、お湯を注ぐように傾けたり置いたりを繰り返す。そうしながら恐る恐る値段をたずねると、おじさんはカタログを引っ張り出して値段を調べ始めた。値段は案の定、決して安いとはいえない。ステンレスやホーローのポットがいくつ買えるだろう。予定もしていなかった急な買い物だ。色々な思いを頭の中にめぐらす一方で、なぜか「どうしても」と思わせる何かにポンと背中を押された。

「これ、下さい」

「黒いのはね、磨いたら簡単にきれいになるからね」

おじさんはごていねいにクリーナーまで勧めてくれた。ポットはサンプルではなく売り物だったのだ。「簡単にきれいになるなら磨いておいてよ」と、私が心の中で小さく抗議しているうちに、ポットはクリーナーと一緒に袋に入れられた。しかもスーパー用のビニール袋にポスンと。実際は困るけど、「気持ちの上では桐箱に入っていてもいいくらいの買い物だったのに」などとブツブツ思いながら、スーパーのビニール袋を大事にぶら下げて家に帰った。

家に着いてすぐにポットをクリーナーで磨き始めた。おじさんの言う通り、クリーナーのお陰で酸化した黒ずみは簡単に落ちた。仕上げに水で洗い流してしっかり水分を拭き取ったら、まるで違うもののように白くやわらかい輝きのあるポットに生まれ変わった。そこまできれいになると、何かを発掘したような喜びさえあった。こんなに簡単にきれいになるなら、やっぱり普段から磨いておいて欲しかったという少々の腹立たしさと、使う前に手入れの仕方とこの喜びを同時に知ることができたという感謝のような気持ちとで、複雑な心境だった。

早速、使い心地を試すために挽いたコーヒー豆にお湯を注ぐ。初めは重さに緊張しながら、注意深くほんの少しポットを傾けてみた。すると変に力まなくても、注ぎ口から細いお湯の筋がきれいにストーンと真下へ注がれた。お湯はドリッパーの中央に落ちて、そこからはムクムクと豆が膨らんでくる。今までは、ポットの特徴にあわせて自分で色々と探りながら加減していたのに、ポットのほうから自然に教えてもらったような感覚だった。しかも寒い冬の日に使っていても、注ぎ終わるまで温度が保たれている。もちろんそんな風に気持ち良くいれたコーヒーは、格別に美味しく感じる。重さのことも、磨かなければ黒ずんでしまうことも、気にならないほどの本物の魅力を持った道具に出会ってしまったのだ。銀のポットも毎日使う一生ものと思えば、ちょっとお得な買い物をした気分になってくる。あのスーパーのビニール袋に入れられた姿も、考えようによっては、普段の買い物、例えば日常よく手にするニンジンや大根のように、私にとっては出会ったときから同じように近しい存在だったということかもしれない。

手を入れながら

「ところでこのポットはどんなところで作られているのだろう？」

使い続けながらそんなことをぼんやり考えていた。保証書があるわけでもないし、ポットにメーカー名が刻印されているわけでもなかった。購入した金物屋で聞いておけば良かったのだが、自分で積極的に調べることもせず、わからないまま何年かが過ぎていた。そんなある日、たまたま人からポットを作っている会社を教えてもらい、知ることができた。見つけたときもたまたま、出所がわかったのもたまたまだったのだ。

銀のポットは新潟県の燕市にある「早川器物」という会社で作られている。ＪＲ燕三条の駅構内にある売店には、食べ物などのお土産と一緒に、お鍋ややかん、包丁、はさみ、爪切り……普段の暮らしの中で目にしているあらゆる金物が並んでいて、金属加工品が地場産業であることがひと目でわかるようになっている。

金属を扱う工場というと、ドロドロと液体のように熱く溶け出したオレンジ色の金属を高炉から型に流し込むところや、ガッシャンガッシャンと大きな音を立てて型を抜くプレス機のような大型機械があるところを想像していた。ましてや銀というと、どうなっているのだろうと。けれども「早川器物」の工場は私の想像とはまったく違う雰囲気だった。高炉は見当たらないし、話し声をかき消してしまうような機械の音もしていない。原型となる型を作り出すための機械はあるものの、あくまでもそこでものを作っているのは機械ではなく、絶対的に「人の手」なのだという印象を強く受ける場所だった。

「早川器物」の製品は、「しごき加工」と呼ばれる方法で作られる、ものを入れる器具・器全般を扱っている。銀製品で馴染みのあるカトラリーなどは「打ち抜き加工」という量産のできる方法で、設備や機械も異なるため、同じ素材を扱っていても別の工場で生産されている。

コーヒーポットを例にしてみると、本体・ふた・つまみ・取っ手・注ぎ口がそれぞれ別に作られる。言葉で書くと簡単だけれど、ポット本体ひとつとっても、板状の洋白《ニッケルシルバー》板からもととなる円形を抜き、熱を加えて四段階の工程を経て、段階的に形を作っていく。工程ごとにそれぞれ型が用意されているので、ひとつの製品を作るために何種類もの型が必要になってくる。型も初めは手作りで試作と検証を何度も重ねて、ようやく製品化するそうだ。それぞれのパーツができ上がり、溶接の段階でも人の手による共付けという方法で、まったく継ぎ目のない美しいものができ上がる。最後に仕上げの銀メッキを加工して、さらに磨き上げられると、あの美しいやわらかな輝きが生まれてくる。生まれたてのまっさらなポットの輝きは、私が初めに黒ずみを落としたときに見た輝きとは、まるで別のものに見えた。

工程途中の洗浄が行われる場所には大きな水槽がいくつもあり、床には板が敷かれていて、何となくお豆腐屋さんを連想するような光景だった。水が流れている音とギシギシと床の木が軋む音以外はほとんど聞こえない中で、工員の方々は黙々と作業を進めていた。パーツひとつでもキズができたらそこで不良品になってしまう。小さなものでもひとつひとつ、大切にていねいに扱われていることはシンとした引き締まった空気から伝わってきた。床がコンクリートなどではなく、板が敷かれているのも、万が一床に落とした場合でもキズがつかないようにするための配慮からだそうだ。冬には新潟での水場の作業は、さぞかし冷えるだろうと心配になりながら、その風景はポットを大事に使うためにも、この先絶対忘れないようにしようと思った。

銀のポットと言っても、正確には洋白《ニッケルシルバー》に銀メッキを加工したものになる。洋白は純銀製のものよりもキズがつきにくく丈夫なことが特徴で、フランスのクリストフル社が世界に広めたもの。日本での銀製品の需要は、戦後間もない頃、アメリカ駐留軍向けにコーヒーポットなどの日用品を作ったのが始まりだったそうだ。四十年生産を続ける「早川器物」では、現在の需要のほとんどはホテルなどのレストランが中心となっている。業務用として使われ続けているのにはちゃんとした理由があると思う。社長の早川進さんは「ものは手入れをすればするほど愛着がわくもの。変色するものなのだとはじめから思っていれば、接し方も変わってくるでしょう」とお話されていた。

自分の暮らしを映し出す鏡だと思えば、曇らないように、色が変わらないように、きつとせっせと磨きをかけて、手を入れながら使い続けたくなるだろう。そう思って手がかかるからこそ、愛着のわいた道具がこのポットなのだ。

早川器物
新潟県燕市水道町2-7-23
電話0256・63・4741
http://www.hayakawasilver.co.jp/

大切にする

両親は昭和ひと桁の生まれで、子供の頃戦争を体験している。幼かったその両親と同じ年頃に、私がごはんやおかずを残そうものなら、食べ物が少なかった戦時中のことをよく食事中に聞かされた。そうなると私は残しかけたものを、小鳥のように少しずつでも口に運び、もそもそ噛んでどうにかこうにか飲み下していた。その効果があったのかどうか、好き嫌いはほとんどなく育ち、食べ物を残すことには今もやはり罪悪感がある。だからついつい胃の大きささも考えずに、食べ過ぎてしまうこともしばしばなのだが。

両親は食べ物に限らず「もの」に対する考えも同様で、使わなくなったからとか古くなったからという理由だけでは、そう簡単にものは捨てられないようなのだ。転居することもなかったので、なかなか捨てられないものの蓄積が家のあちこちで見受けられる。私が幼い頃に目にしていたものが、十数年たった今でもそのままの姿で残っていることが多いのだ。おろし金やふちが赤いホーローのボウル。木でできた小引出し、文机、卓袱台、箸入れなどなど……。

そこで暮らしている最中は気が付かなかったのだけれど、離れて暮らすようになると、実家に帰るたびにひとつ、ふたつと心に留まるものが出てくるようになってきた。それらはどれも特別価値があるものではないし、大してめずらしくもないものばかり。何年も家にあるのが当たり前で、けれどもただ古いだけというのとも少し違う。素っ気なくそっぽを向きながらも「おかえり」と言ってくれるような、どこか懐かしさを感じるものがあるのだ。

たとえばグラスなどと一緒に食器棚にしまってあるコーヒーカップ。それがスウェーデンの「Rorstland」社製ということに気付いたのはつい最近のことだ。私が小学生の頃からお客さまが来てコーヒーを出すときには、決まって使われていたカップ&ソーサー。コーヒーが注がれ、お菓子とともにお客さまのもとへ運ばれていく様子をなんだかソワソワしながら見ていたことを思い出す。形は実用的でシンプル。木の実のかわいらしいモチーフだけど、染付のような深いブルーと若草色のグリーンが甘さを抑えている。白・ブルー・グリーンという色の組みあわせも、かわいくなりすぎないところも小さい頃から好きだった。コーヒーを飲むときに、カップ&ソーサーを使わなくなって久しいけれど、何か他の使い方で取り入れてみてもいいかもしれないと思ったりもする。今でこそ北欧の雑貨に興味を持って、使いながら身近に感じられるようになったものの、当時はそれと知る由もなかった。興味の出発点は案外と身近なところにあったことに、しばらく気付いていなかったというわけだ。

この他にもハッと目に留まったのは、色ガラスのグラスや器類。中の液体の色がそのまま見えるように、ガラスの器は透明が良いのだとしばらく思い込んでいた。今でも大筋はそう思っているけれど、色のグラスを見つけたときに、透明のものとは違う使い方をしてみたいというイメージが膨らんできた。子供の頃には自分が何色を使うかで兄と取りあい

包帯でぐるぐる巻きにするみたいに、テープで固定しながら継いだすり鉢。

ポットのふたのつまみ部分を溶接している。継ぎ目のない美しい仕上がり。
こうしたひとつひとつのていねいな手作業を経て、ようやくポットはでき上がる。

上右／銀製品の洗浄槽。一見するとお豆腐屋さんの作業場のような雰囲気。　上左／ポットひとつを作るために必要なパーツ各種。　左／ポット本体の型。しごき加工で引き延ばしながら形を作っていく。

20cm 小判ポッ
15人用コーヒー

上／パーツの溶接を待つポット本体。　下／製品を大切に扱うよう、工場では木箱が多く使われている。

急須の注ぎ口。ころんと並ぶ姿には愛らしさも感じられる。

右／「Rorstland」社製のカップ＆ソーサー。たまにはこんな少し甘めのあしらいも。　左／どことなく「iittala」にも似た日本製の色グラス。

お茶の時間、お正月にお餅も頼む近所のお団子屋さんの串団子を。

黒とグリーン。「いいな」と感じることにはしなやかに順応していきたいと思う。

玄関のこの二文字に自然と笑みがこぼれる。

曽田さん自身が履き込んだ靴。
皺も形もすっかり足に馴染んだ様子。

SORBO

右／作品が作り出される工房。何度見ても基地のようでワクワクしてしまう。
上／ラス鞄の球体タイプ。木型にはめて成型し、ボールのような仕上がりに。

艶が増してきたバッグ。巾着は手作りで。

をしたこともあるグラス。今だったら先付の器として使ってみたり、琥珀色の器に冷たいスープや、逆に温かいデザートをよそってみるのもいいかもしれない。陶磁器や木の器を料理にあわせて選ぶのと同じように。家にいた十代や二十代の頃には考えもしなかったことだ。それは自分で料理をしたり器を選んだりなど、日々の生活を繰り返したから感じたことなのかもしれない。

ガラスの器は一九六〇〜七〇年代に量産されたもので、今ではたまに古道具を扱うお店で見かけたりもする。家で見慣れていたせいか、それまでは気にも留めていなかったのに、再び使い始めると新鮮で、使いやすい形をしていることに気づく。ただポンと生まれて過ぎ去っていくだけの流行品ではなかったことがよくわかる。

「ものを大切にする」とひと言で言っても、両親と私では感覚は違うし、他の人とも何をどう大切にするかの基準はきっと違う。でもその感覚の違いのお陰で、こうしてずいぶんと新鮮な思いで再会できたものがいくつもある。

お茶の時間

三時頃になると、「そろそろお茶にしようか」が家での日課となっている。実家は電気屋を営んでおり、私が幼い頃から時間になると、今と同じように卓袱台を囲んで従業員の人たちと一緒に煎茶などをすすっていた。当時は祖母もいたので、お茶菓子は塩飴やおこし、お煎餅、お団子など渋いものが多かった。今なら餡子ものも大喜びで飛びつくところだけれど、幼い頃は自分から手を伸ばすほど好きではなかった。それでもつい「そんなに甘くなくて美味しいよ」なんて祖母のひと言に誘われて食べてみるものの、やはり同じ甘味ならチョコレートやケーキのほうが断然魅力は上だった。

ケーキといえば、私が幼稚園に上がるか上がらないかの頃だったろうか、当時世の中に出始めたばかりの電子レンジが我が家にもやって来て、ちょっとしたお菓子革命が起こった。メーカーから女性の方がお店に派遣されて、電子レンジの使い方や応用を教えるためのデモンストレーションをしたことが何度かあったのだ。お姉さんは電子レンジを使い、簡単に黄色いふわふわふわした蒸しパンやケーキを作りながら、お客さまに機能を説明していた。オーブン付きのものでは、プリンやクッキーも作ってくれて、私も一緒に手伝ったこともある。そういうことがあったのは年に一、二度だったろうか。初めて食べるようなお菓子たちが美味しかったのはもちろん、作ること自体も楽しくて、彼女たちが来ることを心待ちにしていた。けれどもそのうち電子レンジも一家に一台が当たり前のように普及してしまって、お姉さんが来ることもいつの間にかなくなってしまった。デモンストレーションがなくなってからも、家では引き続き母がそうしたお菓子を作るようになり、お茶の時間は渋いお菓子よりも、子供はそちらに大きく軍配を上げるのだった。

お茶の時間はお菓子ばかりでなく、例えば夏だったらスイカやひんやりと冷やした桃、蒸したトウモロコシといった季節の食べ物が加わることもある。夏の午後、水を張ったたらいに、プカプカと浮いたスイカが冷やされているのをお風呂場に見つけると、兄と小躍りするくらい喜んだ。好きな数だけ食べられるようにと、切り分けられた赤い三角のスイカが、大きなトレイに並んだ様子を見てはウキウキしたものだ。瑞々しいスイカは、真夏の日差しや近所でつかまえたカブトムシ、プールのあとの昼寝とか、子供の頃の夏の思い出そのものの香りがする。ガリガリガリと台所から何か音が聞こえると思って覗くと、母がカキ氷を作っていたり。色や音、匂いなどお茶の時間に感じた五感の記憶が、ここのところさまざまな形でよみがえってくる。たかがお茶の時間とはいえ、旬のものがお目見えすることで日常にアクセントを与えてくれていたのだ。そんな普段とは少し違う空気を、子供なりに楽しんでいたのだと思う。

会社勤めの頃にも昼食とは別に午後の休憩がほんの少しあったが、職場の一角で過ごす時間だったからだろうか。お茶やお菓子を食べながらも、頭のどこかで仕事が切り離せずにいた。家で仕事をすることが多くなった今では、お茶やコーヒーを飲みつつ、何かをつまみながらパソコンに向かっている。常にお茶をしている状態だ。ひとりでいると、仕事の区切りがつかないと途中で中断することができずに、ついそのままやり続けてしまう。切り替えが下手なのだ。それを「そろそろお茶にしようか」と、何の脈絡もないところで母の声がブチッと切断する。突然、ブレーカーを落として電源を切るみたいにガッシャンと。仕方なく卓袱台を囲んで、ただただお茶をする。何かをしながらなどではなく、お茶の時間そのものを過ごす。これがなかなかいいことに気が付いた。コーヒーやお茶をいれる作業自体も、このスイッチの切り替えにひと役買っている。それがほんの十五分ほどだったとしても充電の効果は大きくて、ずいぶんすっきりとした気持ちで次のことに取りかかれるような気がしている。だから仕事をしながら飲むお茶などとは別に、家にいるときはお茶の時間が再び日課となっている。

幼い頃からの習慣は、体のどこかでちゃんと覚えているらしい。それが嬉しかったり、楽しかったりする記憶であればなおさらだ。みんなで囲んでいた卓袱台もいまだに健在で、ひと息つくことの大切さを教えてくれている気がする。

時計の針が三時をまわる頃、「そろそろお茶にしようか」の声が今日も聞こえてくる。

ロングセラー

働き始めた頃からだから二十年近く、手帳は「クオバディス」を使っていた。大きさや種類、カバーの色も何色もあるから、使い始めた頃はその年ごとに種類を変えたりしていたけれど、ここ何年かは一日一ページのダイアリータイプの、紺か黒に落ち着いていた。だからといってマメに日記を書き込んでいたわけではないし、毎日みっしりとスケジュールが詰まって、細かく書き込む必要があったわけでもない。ただその日見に行った展覧会の葉書や映画のチケットをペタペタと貼ったり、思いついたことをつらつらと書き留めておくためのノート代わりとして使っていたのだ。もちろんそうしていると一年が終わる頃には手帳はぼわぼわと膨らんで重くなる。何か用がなければ振り返って見直すこともほとんどないけれど、いろんな紙の重なりや文字が書き込まれた様子は、自分の一年をコラージュにしたようにも見えて、重さにも膨らみにも愛着がわく。そこが気に入って「クオバディス」のダイアリータイプは、気がついたら私の中でのロングセラーとなっていた。

けれども今年、その手帳を違うものに替えた。単純な理由だが、持ち歩くときの重さに負けてしまったのだ。今までは少しずつ増えていくその重ささえも好きだったのに、自分のことながら、替えると決めたらこんなにもあっさりとしたものだった。

替えた手帳はイギリス製の老舗文具メーカー「Letts」の、一週間が見開きになっているもの。中は薄い紙を使っているから厚みがなく、もちろん軽い。ハードカバーなのでヘタって変形する心配もない。黒のカバーに箔押しをした金文字の筆記体、栞のリボンにダークグリーンを使ったかっちりと重厚な色の組みあわせなどは、いかにもイギリスらしい感じがする。重さを気にして替えることを考えたのだけれど、決定的な決め手は、黒にグリーン、そこにほんの少しの金という色の組みあわせだった。私の持ち物の中には今までにない色のセレクトだ。それまでは、手帳以外はお財布も茶色のものを使っていたし、革のバッグも茶色。カゴの持ち手の革に黒か茶の種類があれば、迷わず茶を選んでいる。手帳の黒といっても「クオバディス」はソフトカバーだから、何となくやわらかい印象がある。「Letts」のかっちりとした黒とは表情がまるで違う。

この手帳がバッグの中から顔を覗かせると、シャキンと背筋が伸びるような気がする。開いたときの栞のグリーンもやっぱりいい。そう思い始めたら気になってきたのがバッグの中の取りあわせだ。詰めあわせのパックではあるまいし、色を揃える必要などまったくないのだけれど、前からそろそろ替えようと思っていたお財布を、この色の組みあわせにしてみたらどうだろうかと考えたのだ。

お財布は手帳以上に、手に取って「これだ！」と思えるものを見つけるのは難しいように思う。ずっと使い続けていたお財布はもう何年も経って手に馴染んでいるものの、自分をだましだまし使っていたものだ。「そろそろ」とか「今年こそは」と毎年思いながら、気に入る一品が見つけられずにいた。それがこの手帳の色の組みあわせがきっかけとなって、本当の「今年こそは」ということでお財布を新調することにした。お財布は須藤華順さんという作家さんのもので、恵比寿の「Ekoca」で須藤さんの作品展が行われたときにお願いした。革の色、ステッチの色はサンプル色の中から選ぶことができる。もちろんベースには黒の革を選び、ステッチの色に深めのグリーンを選んだ。お金や領収書などの出し入れをもう少しスマートにしたくて、形も今まで使ったことのなかった長財布にすることにした。自分にしては色も形も新しいものに変えるなんて、ずいぶんと冒険に出たと思う。それでも自分が使っているところをイメージしつつ、手もとに届くまでの時間をワクワクしながら待っていた。

でき上がってきたお財布と手帳の組みあわせは素材も質感も違うから、決してセットという様子はなく、けれどバッグの中でしっくりと同居している。見慣れたバッグの中も新鮮に見える。お財布の革は毎日手にするうちにこなれていき、どんどん自分に近しい存在になっていくのだろう。一方、「Letts」の手帳は「クオバディス」に替わって私のロングセラーとなっていくのだろうか。どちらもこの先が楽しみ。

「Letts」の手帳
rhubarb
東京都渋谷区神宮前4-15-16　原宿ジートルンク#101
電話03・3796・1750
http://rhubarb.jp/

須藤華順さんの財布
Ékoca
東京都渋谷区恵比寿南1-21-18　圓山ビル2階
電話03・5721・6676
http://www.ekoca.com/
*常設はヌメ革に赤ステッチのもののみ。
革の色などの別注は作品展（毎年秋頃）のときに受けつけているそうです。

おもしろがってつくること

カゴのような革のバッグ。出かけるときはこのバッグに自然と手が伸びていることが多い。いつも持ち歩くお財布、携帯、デジカメ、手帳、文庫本など……これらの荷物がこのバッグにコンパクトに収まる。ある程度の重さになっても、七ミリほどのしっかりした厚みのある丈夫な牛革でできているから安心して使っている。もともとカゴは好きで何個か使っているけれど、たぶん最近はこれが一番多い。「革は使ったら少し休めてあげないと」なんて思っているそばから、また手にしている。これでは好きなものばかりを食べている「ばっかり食べ」のようになってしまうが、早い話お気に入りなのだ。

バッグは靴を中心に作品を発表している革作家の曽田耕さんが作った

もの。他にも色々なデザインはあるけれど、このバッグの正式名称は「ラスカバン」という。実は名前を知らないまま何年も使い続けていた。名前の由来は建築資材として使われるラス鋼という建材の構造に似ているかららしいけど、ラス鋼そのものは見たことがあっても、名前自体は知らなかった。バッグを見て、私がいつも思い浮かべていたのはそれよりも、折り紙を折ってハサミで切り込みを入れてでき上がる、七夕飾りの天の川だったのだから。説明をされて、なるほどこの厚さの革は折り紙のようには折りたためないし、ラス鋼の構造に似ているなあと妙に納得したものだ。バッグの名前を知らなかったのと同じように、曽田さんと初めて会ってから何年か経つというのに、一緒にワイワイごはんを食べたりなどはしていても、仕事の話などは今までほとんど聞いたことがなかった。

曽田さんと初めて会ったのは、石川県金沢市にある「collabon」で行われていた個展のときだった。たまたま私も金沢を訪れている最中で、コーヒーを飲みに「collabon」へ立ち寄ったときにお会いしたのだ。東京在住の曽田さんに初めて会うのが金沢だったという偶然が、何だか可笑しかった。東京が狭いようで広いのか、日本が広いようで狭いのか……。そのとき曽田さんは展示期間中ずっと金沢に滞在し、履く人の足にあわせ、その場で作品の靴の微調節をしていた。調節をせずにそのまま帰ったお客さまも、翌日やって来て「一日履いて歩いてみたら、ちょっとだけここが気になるから」と、その部分の当たりが和らぐように削ってもらったりしていた。使う人にあわせて作品に手を加える。「やりとり」というワンクッションがあってから靴が手渡されるという、おもしろい展示だった。

曽田さんの靴やバッグは、ミシンが使われているものも一部にはあるものの、そのほとんどは機械を使わずに手作業で作られている。「ラスカバン」は一枚の革を水でやわらかくし、型紙に沿って切り込みを入れ、ほど良い加減に広がるまで重りをつけて伸ばす。バッグの特徴でもある七夕飾りのような網状の穴は、じっくり時間をかけて作られる。その後バッグの形になるように成形するのだけれど、縫い目はどこにも見当たらない。バッグは縫いあわせるのではなく、両サイドを留め具でつなげてある。その発想自体も、私がこのバッグを気に入っている理由のひとつだと思う。

曽田さんが作るものにはいつも、「へえ」とか「ほう」とか、ワクワクする要素がどこかしらに隠れている気がしている。工房兼自宅へお邪魔したときも、工房を見ているというよりは、曽田さんの秘密基地をこっそり見せてもらっているような気分だった。天井の高い工房の中には、工具や材料がぎっしりと置かれていて、作業途中の靴やバッグ、でき上がったバッグが乾燥させるために吊るされてあったりもする。サンプルの靴を並べるために、棚だけでなく専用の小屋まで建ててあった。小屋の窓には拾ってきたという、それぞれ違うガラスがはめ込まれている。当然ながら小屋の中の棚も、もらってきた廃材を使って、曽田さんが作ったもの。住居スペースも使いやすいように色々と工夫されていて、台所や寝室、トイレにいたるまで、あらゆる部分をパートナーの京子さんと一緒に少しずつ手を加えながら暮らしている。ところどころに飾られた四歳になるお嬢さんの杏ちゃんの絵がホッと空気を和らげてくれていたり。その空間からは、家族のワイワイガヤガヤと楽しそうな声が聞こえてくるよう。

曽田さんは靴やバッグを作る作家ではあるけれど、靴やバッグも家のものを作ることも工房の空間づくりも、全部「つくることをおもしろがる」という、同じ一本の線上でつながっているように思えてくる。仕事や暮らすこと、遊びさえも真剣におもしろがるのは、実は案外と難しいし、大変なことだと思う。でもつきつめていくとそれが呼び水のようになって、おもしろさにもどんどん深みが増すのかもしれない。曽田さんの基地を見渡しながら、そんなことを思った。

このバッグを持ち歩いていると、「それ、曽田さんのバッグですよね？」と声をかけられたことが何度かある。そんな話をすると、「作ったのは確かに僕だけど、今はちえさんのバッグだから」なんてことを曽田さんはさらりと言う。買ったばかりの頃は子豚のような肌色をしていたこのバッグも、使い続けるうちにまるで煮物にみりんで照りをつけたように、だんだんあめ色へと変化してつやが増してきた。これも使う人の使い方や頻度によって、微妙にその人らしさのようなものが加わってくるのだろう。靴なら歩き方や足の形、手入れの仕方でその表情も人によってさらに違いが出てくると思う。作ったものが使う人に渡ったら、確かに使う人のものになる。使う人がその人らしく自由に使えばいい。おもしろがってものを作り出している曽田さんのように、使い手である私もバッグだけでなく、この先も自分らしくマイペースに、暮らし全体をおもしろがっていきたいと思っている。

collabon
石川県金沢市安江町1-14
電話076・265・6273
http://www.collabon.com/

曽田耕さんのホームページ
http://www.sodako.com/

出西《しゅっさい》まつり

「出西まつり良かったよ」。何年か前、仕事先の島根県から帰ってきた友人が言ったひとこと。旅の話はただでさえ、その土地に行った人とそうでない人とでは温度差があるのに、これではさっぱりわからない。何がどう良かったのかとたずねると、「お祭りに来た人みんなにおむすびと豚汁が出るんだよ。しかも紙皿なんかじゃなくて出西の器を使って。漬物も美味しかったなあ」。

食べ物が美味しかったから良かったのか？　肝心の出西まつりがどういうものなのか。雰囲気は？　土地の様子は？　色々としつこく聞いてみたものの、どれもぼんやりした答えしか返ってこない。私のもどかしい思いが伝わったのか、黙らせるためなのか「はい、これ」と言って、お土産が手渡された。その袋の中には、梱包材に包まれた「出西窯」の器がふたつ。ひとつはぽってりとした質感でクリームがかった粉引の鉢。もうひとつはプリンのカラメルのように美味しそうな色をしたあめ釉の器。粉引の器は、ヨーロッパの器だと言われればそんな気もしてしまいそうな雰囲気もある。どちらもシンプルな形で、強い主張のようなものはないから、すんなりと手持ちの器たちに馴染んだ。

結局「出西まつり」の詳細については、そのときはわからずじまい。大阪の友人がここ何年か訪れているというので電話で聞いてみると、同じようにおむすびと豚汁の話が最初に出てきた。「やっぱりそれかあ」と、つい可笑しくて笑ってしまった。考えてみたら、どんなに詳しく説明してくれたとしても、それは知識として頭でわかっただけにすぎないのだろう。私がどう感じるかは、実際のところ行ってみないとわからないということだ。百聞は一見に如かず。その翌年、念願の出西まつりへ行くことにした。

年に一度の出西まつりは、島根県出雲平野にある陶器の窯場の「出西窯」で毎年十一月に行われる。波のように風に吹かれるスキや、枝から雫がこぼれるようにたくさんの実をつけた柿の木、刈り込まれた稲のあと。窯元は深まる秋の景色に囲まれていた。訪れた初日は平日にもかかわらず大変な人出で、期間中は全国から日に約四千人も来客があるそうだ。朝食をとらずに早朝羽田を出発した私は空腹で、早く器を見たい気持ちを押さえつつ、まずは噂のおむすびと豚汁で腹ごしらえをすることにした。案内された建物の裏手からは、美味しそうな匂いが漂ってきた。そこには小さな子供からお年寄りまで、大勢の人たちがおむすびの載ったお皿や豚汁の汁碗を手にしていた。机の上には紅色をした花大根のお漬物がたっぷり大きな器に盛られて、どーんと置いてある。

空いている場所を見つけて席に着くと、おむすびや豚汁、お茶などが運ばれてきた。話に聞いていた通り、すべて出西の器が使われている。知っていたこととはいっても、使われているたくさんの器を目の当たりにすると、やはり驚いてしまった。これから器を見る者としては、手触りだけでなく口当たりや食べ物との取りあわせを実際に確かめることができるのが有り難い。何より紙皿などでは味わえない、気持ちがこもった贅沢な美味しさを感じることができる。近くでは子供たちが元気に走りまわっていた。「危ないからやめなさい！」なんてお母さんに叱られていたけれど、そうしながらも幼い頃から地元で作られる出西の器に触れて、器の扱い方や大切さをきっと自然に覚えていくのだろう。初めて目にするのに、何となく懐かしいようなその食事の風景を見ていたら、しんしんと湿気を含んだ寒さですっかり冷え切った体も、底のほうから温まっていくような心地がした。

出西窯については二代目代表の多々納《たたの》真さんにお話を伺った。出西まつりの始まりは、炎のまつりとして器を焼く窯の炎の神さまへ、感謝をするために行われた神事だった。と同時に、煙の出る登り窯は地元の方の理解があってこそ続けていけるもの。そんな日頃の感謝の気持ちを込めて「まつり」という形で、一九八四年から毎秋開催されるようになったそうだ。窯場やギャラリーなどを開放し、窯出しした器を展示販売する。音楽のライブやろくろ、絵付けの体験もできるらしい。まつりを始めた当初はまだ訪れる人もそれほど多くなく、多々納さんが担当になっておでんを出していたとのこと。お客さまひとりひとりとお話をしながら接客するのが楽しみだったとおっしゃっていた。

現在は器作りも含めて二ヶ月前からおまつりの準備を始めているそうだ。来客数が増えた今となってはおでんを用意するのは難しいけれど、多々納さんは会場の中をあちらへ行ったりこちらへ行ったりしながら、お客さまと楽しそうにお話をされていた。それはきっと始まった当初から変わらない光景なのだろう。

「出西の器＝民藝の器」と何の疑いもなく思っていたと多々納さんに話を向けると、「実は自分たちから〝民藝の窯元です〟と言ったことはないんですよ。民藝本来の定義からすると窯元の歴史もまだ浅すぎます。だから〝民藝の思想を基本理念とした窯元です〟と説明しているんです」とおっしゃっていた。作り手による企業組合の形態を取り、現在は十一名で器を作っている。成形・釉薬掛け・焼成など、工程ごとに分業して器を作ることはせずに、ひとりの作り手がひとつの器を焼き上がりまですべて担当しているそうだ。販売所の会場に並ぶ器の量の多さを見て、それてっきり分業で作られているものとばかり思っていた私にとって、それは意外なことだった。作家として個人の名前を表に出すことはしなくても、ひとりひとりが技術を磨いている。「私たちの窯元は作り手による共同体なんです」という多々納さんの言葉が印象的だった。

出西まつりのおむすびは、五、六人のおばあちゃんたちが大きな釜を囲んでワシワシとこしらえていた。炊き立てのお米からホワホワと立ち上る湯気と甘い香り。ピカピカの塩むすびはおばあちゃんたちの手のひらからあっという間にでき上がっていった。おむすびを作っている炊事場を覗かせていただいたのだが、湯気の中で作業をするおばあちゃんたちと、きちんと同じ大きさに並んだおむすびの姿があまりにもきれいで、しばらくぼんやりと眺めていた。それでちょっと思い出したことがある。以前、おむすびのことを「おにぎり」と呼んでいたら、ある人から「おむすびは〝御結び〟と言って、きれいな言葉なんだよ」と言われたことがある。そのときは「ふうん」と、大して気にも留めていなかったのだけど、ことあるごとに「おに……」と言いかけてはやめて「おむすび」と何となく言い直すようになっていた。

多々納さんが言う共同体という言葉は、単に作り手同士だけの結びつきを表しているのではなく、何かと何かが手をつなぐように結びついているところを想像させる。作り手はもちろん地元の人々、使い手であるお客さま、家族、友人、ものと人……。出西まつりで食べたおむすびはそう呼ぶのにふさわしく、何かを結びつけているように思えた。

人から出西まつりの感想を聞かれたら、私もまっさきに答えてしまうだろう。

「出西の器におむすびと豚汁がね……」

出西窯
島根県簸川郡斐川町大字出西3368
電話0853・72・0239
http://www.shussai.jp/

オーバル皿

初めて降り立つ出雲空港には、松江在住の女鹿田《めかだ》恵美さんという女性が迎えに来てくれた。大阪に住む友人の紹介で、案内役を買って出てくれたのだ。電話でやりとりをしていたものの、お会いするのはそのときが初めて。けれど何の目印をしていなくても同じ匂いがするというのか「あっ!」と、目があってすぐご挨拶となった。彼女はその後松江で「SOUKA—草花」というギャラリーを開いた。

女鹿田さんは出西まつりのお手伝いをしていたこともあるそうで、会場に行くと代表の多々納さんはもちろん、他の作り手の方々とも親しげに挨拶を交わしている。そんな中、ちょっと只者ではない風貌をした方がこちらに向かって手を上げている。「私が以前に働いていていたカレー屋さんの、オーナーなんです」と女鹿田さん。その男性は、着心地の良さそうなインド綿の洋服に、足もとは素足にオーロラシューズを履いている。私と一緒の靴だ。年齢がわかりにくいが、四十代半ばくらいだろうか。雰囲気のある方で、遠くから見てもすぐわかる。すでに器を選んだらしく、カゴの中には何枚かの器が入っていた。「お店で使ってみようと思って」というひと言が気になって、朝の時点で気が早いが、その晩の食事はカレーに決まった。

さて腹ごしらえを終えた後、自分のための器選びを始めた。普段は「これを選んでどう使おうか?」「買おうか、どうしようか」ということは考えても、「どれにしよう?」という悩み方はしないほうだ。行く前から梅干を少しずつ入れるための小さい壺が欲しかったのでそれは即決したものの、他の器を選ぶのはめずらしく悩みに悩んだ。悩むくらいならやめておけば良いのに、どれも使うシーンや料理が容易に想像できるから「やっぱり欲しい」と欲も出る。まわりを見まわすと一階と二階にある棚やテーブルに、みっしりと山のように並んだ多くの器の中から、買い物カゴいっぱいに選んでいるお客さまがたくさんいる。みんな私のようにちまちましておらず、五枚揃えだ、贈り物用だと、買いっぷりが見ていて気持ちいい。そうして選ぶことができるのがうらやましくもあるけれど、どこかあまのじゃくなところがあり、ますます悩んで結局小さな壺だけを購入することに決めた。お会計をした後もぐずぐずと入口近くにあった三十センチほどの大きな黒のオーバル皿が気になっていたものの、どうしても「今すぐ欲しい」と思い切ることができずに、後ろ髪を引かれるようにして「出西窯」を後にした。

女鹿田さんが近辺を車で色々と案内してくれた。その間も諦めたはずのオーバル皿の残像が、未練たらしくちらちらと頭の片隅でちらついていた。一度は訪れてみたいと思っていた出雲大社を出る頃には、ようやくその邪心も消えたかと思うと、今度は夕食のカレーが気になり始めていた。

案内してもらったお店では、おすすめのカレーやお料理を何品か頼んでみんなで分けることにした。すると、午前中に購入したばかりの藍色のお皿がテーブルに運ばれてきた。店内はエスニックなイメージだし、テーブルはタイルが貼られたモザイク柄。でもそこになんの違和感もなく、出西の器が馴染んでいる。初めて訪れたお店なので、聞いていなければ、前からその器が使われていたのではないかと思うほど似合っていたのだ。

カレーのスパイシーな黄色や赤が、日本の藍によく映える。食欲もそそるしお店の雰囲気も崩していない。直売所ではこの色に対して私は何の引っ掛かりもなかったのだけれど、こうもさり気なく使われると参ってしまう。きっとオーナーがこの器を選んだときには、色の組みあわせのイメージがすでにでき上がっていたのだ。同じものを持っていても、人それぞれの使い方や盛り付ける料理、布使いなどによって器の印象は変わってくる。お店で食べるのと自宅で食べるのとでもまた違う。予期せぬところで、まったく自分にはない感覚に出会えたことが興味深くておもしろかった。どれも使いやすいとわかるだけに迷ってしまったのだけれど、自分なりの使い方を見つけて、とことん楽しんでみればいいだけだ。そう思った瞬間、忘れたはずのオーバル皿がまた頭の中にちらつき始めた。

出西の器は、いかようにも使えそうな器が形や大きさ、釉薬の種類も豊富にある。そのどれもが素朴で、手に取るとどこかで見たことがあるような懐かしさを感じる。「男性用でもなければ、女性用でもない。お年寄り向きでもなければ、若向きでもない。誰でも使えて誰にでも愛されるように、徹底的にシンプルなものを作っているんです」。多々納さんがお話されていたことを思い出した。まさに民藝の思想である「用途美」を追求した結果なのだ。

出西まつりの最終日、空港へ向かう直前に再度窯元を訪れた。そこでオーバル皿が売れてしまっていたら、縁がなかったものとしてあきらめるつもりだった。が、「やっと戻って来たのかい？」と言うようにオーバル皿が入口で出迎えてくれたのだった。

SOUKA—草花
島根県松江市白潟本町33　出雲ビル4階
電話0852・27・0933

鰹節削り

近所の魚屋さんに、黒白のブチで目つきの悪いノラ猫が住みついている。ポカポカ陽気ののどかな日にはウチの庭までやって来て、好きな場所で奔放に寝そべり、日向の心地良さを堪能していく。私が近寄っても逃げようとしないが、それは人懐っこいからではない。じーっと人の顔をにらんで敵意丸出しに威嚇をする。猫相手に本気になっても仕方ないと思いながら、こちらも負けずに「フーッ！」とうなったら、ようやく面倒臭そうにブチは腰を上げて、たらたらとどこかへ行く。そのブチ猫に子供が産まれた。いつの間に産んだのだろう。小春日和が続くこの頃は、黒猫の子供二匹を連れて毎日のように日向ぼっこをしに来ている。そんな様子を見ていたら、自分が一番気持ちの良いところを見つけて過ごすような暮らし方を、人間ももっと自然にできたらいいのになんてことを思ったりした。
ウチでも猫を飼っていたことがある。記憶にない一歳ぐらいの頃、写真に一緒に写っている雉トラの猫。小学生のときに飼っていた白に黒ブチの「小鉄」。中学の同級生のウチで産まれた「ロッテ」。隣の家のおばあちゃんからは「あのガムだかチョコレートだかの名前の猫、今日はいないのかい？」なんてよく言われていた。名付け親は私だけど、どうしてその名前にしたのかは忘れてしまった。

ロッテはシャム猫とトラ猫の子供で、薄いグレーの縞がきれいな賢いオス猫だった。天気が良い日の昼間は、どこかへ遊びに行ってしまうことが多くて、名前を呼ぶくらいでは戻ってこない。そんなときに一番効き目があったのが、鰹節削りの音だった。庭のほうに向かって鰹節を「シュッシュッシュッシュッ」と削り始めると、草むらからピョンと飛び跳ねるように走ってきて、ニャーニャー鳴きながらごはんをねだる。そんなときだけ上手に甘えるのだ。「まったく現金な奴だなあ」なんて思いながらも、そんなところがかわいらしかった。今のペット事情と違って、当時の猫のごはんの定番といえば、お米に鰹節をかけた名前通りの猫マンマ。たまにおこぼれとして魚や鶏肉が加わる程度だった。

　小さい頃はよく母の手伝いで鰹節削りを使って鰹節を削っていた。お豆腐屋さんのしっかりした固さの木綿豆腐には、その削り節がぴったりだった。口の中に広がる味も香りも濃い。私の中でその組みあわせは、小学生の夏休みの昼ごはんに食べた、冷奴の光景を思い出させる。ボウルに張った水の中に、魚を放すようにして木綿豆腐を滑らせる。食べる直前まで蛇口から井戸水をちろちろ流しながらお豆腐を冷やしておく。その間に鰹節を削るのだけれど、必死に削ってもなかなか母や祖母のようには上手に削れない。音をリズミカルに、くるんと大きく削るには年季が要るのだろうか。「カスッカスッ」という音の通り、引き出しを開けてみるとでき上がりも貧相なものしかできていない。鰹節が小さくなってくると、中心の透き通るような赤い部分が出てきてきれいだった。ただ小さくなってくるとますます削りづらいし、おまけに手を削ってしまいそうでビクビクしていた。いつ頃から鰹節削りを使うことをやめて

ツヤツヤの塩むすびと豚汁が出西の器に。おもてなしの気持ちが有り難い。

上／炊き立てのアツアツごはんはあっという間にきれいなおむすびに姿を変えて。
左／二階建ての直販所。たくさんの中からお気に入りの一品を選ぶ。

右／簡単料理も出西のオーバル皿に
盛り付ければご馳走に大変身。
左／年季の入った鰹節削り。手入れ
をしながらこの先もずっと一緒に。

上／子供たちの笑い声が聞こえてきそうな懐かしい廊下が続く。
左／二階のギャラリースペース。白の空間に木目がくっきりと映えて。

右／アングルステージのフレーム部分。組みあわせる木によってそれぞれの個性が出てくる。　左／季節の草花とともに空間に彩りを添えて。

左上／囲炉裏テーブルを囲む市川さんご一家。後日お嬢さんが誕生して五人家族に。
右下／体育館の床下にあたる倉庫部分。さまざまな木がストックされている。
左／木材サンプル。これがあったら私も少しは木の種類が覚えられるだろうか。

サブレー

小さな鏡餅が並んだ様子は昔話の
「かさこ地蔵」を連想させる。

お節用の黒豆は山形の友人にいただいたもの。

雨が降ると木戸がきしむなど、ところどころ傷みはあるけれど、何にも変え難い空気が流れている。

西日が差し込む「隠居」はしっとりとした趣を感じさせてくれる。

初日の出を待つ利根川の堤防にて。空と川の色が溶けあう時間。

霜をまとった雑草たち。春はすぐそこに。

しまったのだろう。多分ウチに猫がいなくなった頃からかもしれない。

　当時使っていた鰹節削りが家にはまだある。しばらく……本当にしばらく使っていなかったからずいぶんと薄汚れてしまったけど、手入れをすれば何とかまだ使えそうだ。その姿を見ていたら、久しぶりに自分で削った、削りたての鰹節を味わってみたくなった。それは懐古趣味というのではなく、大袈裟なことでもない。ただ自分の日常の中で、ごくごく当たり前に、手間を惜しまないゆとりのようなものを持ちたくなったからだ。

　腰を入れて鰹節を削り始める。「シュッシュッシュッシュッシュッ」。子供の頃とは違い、今の私は音もリズムもいい感じだ。肝心の削り節の出来も上々。冷奴といきたいところだけど、肌寒くなってきていたので、湯豆腐に。この削り節の上からお気に入りのポン酢をかけてパクリ。当たり前のようだけれど、買ってきた削り節より香りも味わいも一段といい。

　あの黒猫たちにこの味を覚えさせてしまったら大変だ。削る音がするたびにやってきて、せがまれながらせっせと削り節を作らなければならない羽目になる。自由に暮らしているように思える猫を見ていて見習うこともあるけれど、この削り節の味はそう簡単に教えるわけにはいかない。

アングルステージと囲炉裏テーブル

新潟県の上越市安塚区に工房「ゲイミンカン」を構える木工作家、市川正和さんをたずねたのは、ある年の十月。たまたま金沢に行く用事があって、電車が同じ方面という理由だけで寄らせていただくことにした。大抵こういうときは、細かいことまで考えずに物ごとを決めてしまって、自分でも後でびっくりすることが多い。時間と距離の感覚がまったくわかってないくせに、「行ってみたい」の気持ちのほうがどうも勝ってしまうのだ。今は路線図や電車の時刻表もインターネットで調べることができるから、時間はかかっても電車に乗り遅れさえしなければ、無事到着できるからと安心していた。駅から工房までは遠くても、タクシーを使えばいい。ひとりでも何とかなるものだと大きく構えていたのだ。それがいざ駅に着いたら、途方に暮れてしまった。駅は無人駅だしタクシーもいない。タクシーが来るまで時間を潰せそうな喫茶店やコンビニさえも見当たらない。到着時間は留守番電話で伝えていたものの、肝心の市川さんの携帯番号を書いたメモを忘れてきてしまった。我ながら詰めが甘い。静かな駅の降り口で、どうしようかと思っていたところにメッセージを聞いた市川さんが車で迎えに来てくれたのだった。

反省の心持ちで工房に到着してまた驚いた。目の前に現れたのは、坂の上に建つ大きな木造校舎。廃校になった小学校の校舎を工房兼住居にしていることは、初めてお会いしたときに聞いていたのに、実際目にするとやはりそのスケール感に口をあんぐりと開けてしまった。案内された玄関は下駄箱に小さな上履きが並んでいた面影が感じられ、入るとすぐ左手に長い廊下が続く。建物自体は町の公共の施設として今も使用されているらしいが、学校だった気配はまだそのまま残っている。市川さんのご家族は、もとは用務員室や印刷室だった部屋を改装してそこで暮らしていた。

そもそも市川さんの作品に初めて出会ったのは、長野県松本市で毎年五月に開催されている「クラフトフェアまつもと」だった。屋外の広い敷地内をぐるぐると何周かしたところで、市川さんの「アングルステージ」が目に留まった。「アングルステージ」は、細い鉄の角材同士を溶接して直方体の骨組みを作り、その上にフレームにあわせて溝を切り落とした木材がはまるように作られている。木は自由に動かすことができて、その上に花器を置いて花を生けたり、石や果物を載せてみたり。使い道のわからない古道具を置いても、何も置かずにそのままの単体でもオブジェのようにさまになる。壁にかけようと思えば可能だし、横でも縦でも使い道は自由だ。鉄に錆加工をしたものとそうでないもの、木の表情ひとつでまったく印象が変わるのもおもしろい。

「クラフトフェア」では、鉄のフレーム部分にちょうど錆加工をして乾燥させている最中のものを、好奇心が先に立って、そうとは知らずに手でガシッと摑んでしまったのだ。乾燥中のものの手前にはちゃんと「乾燥中なので手を触れないで下さい」と注意書きがしてあったにもかかわらず、なんてそそっかしいのだろう。まあ、そのことがきっかけで、奥さまののりえさんと、工房のことなどをお話することができたのだが。

工房へ伺ったのは、古い木造校舎を見てみたい思いももちろんあったけれど、アングルステージをはじめ、市川さんが作るもの自体に興味を持ったことが第一だった。校舎の二階へ案内してもらうと、壁と床が白く塗られた一教室分が展示スペースとなっていた。木枠の窓ガラスの向こうには山の木々が生い茂り、秋のおだやかな光が教室の白に反射して、全体を照らすように明るくしている。スペース内には「クラフトフェア」で見かけた「アングルステージ」の他に、大きなテーブルや椅子などの家具、トレーや木の器などの雑貨までが並んでいた。市川さんの作品と一緒に古道具や陶芸家でもあるのりえさんの器、他の作家の器も展示してあり、教室がまるごとギャラリーのようになっていた。

大きなテーブルを前にして外を見るように椅子に座ると、視界が開けて気持ちがいい。こんなテーブルでお茶を飲みながら、資料の本を広げたり、手の届くところに必要なものを置くことができたら、さぞかし仕事がはかどるだろうと空想してしまう。そこは人が集まって食事を囲む場所になることもあれば、編み物や縫い物をする場所にもなる。用事がすんだら片付けてすべてリセット。普段テーブルの上には何も置かないまっさらの状態にしておく。絵本の『三びきのくま』に出てきそうな大きな木のテーブル。普通は家にあわせてテーブルのサイズを選ぶものだけれど、気に入ったテーブルにあわせた暮らしを選択ができたらどんなにいいだろう。

市川さんのご自宅には家族で囲む楽しいテーブルがある。一見、シンプルなテーブルは、天板にあるはめ込み式のふたを外すと、そこから火鉢が顔を覗かせる。テーブルの素材自体はオーク材だが、銅版で作られた火鉢のまわりは断熱効果のある桐素材が使われている。そこでお湯をわかしたり、家族でお鍋を囲むことができる。訪れたときは銀杏を炒っていただいた。銀杏の殻がパチパチとはぜながら焦げる香ばしい匂いが部屋中に広がる。何かをするたびに席を立つこともないので会話が途切れることがない。逆に火がおこった炭を黙って見ているだけでも気持ちがホワッと温まって、それ自体が会話と同じような役目をしているような気もする。囲炉裏といったら普通、畳や床の上に座る生活のもの。テーブルの生活では火鉢みたいなものを上に置いてしまうと高さが出てしまうし、床に置いたら用があるたびに誰かが席を立つことになる。けれどゆったりした囲炉裏を囲む雰囲気は捨て難い。何とかそれを今の暮らしに沿うように取り入れたいと考えて、テーブルと一体化させたのが「囲炉裏テーブル」なのだそうだ。席を立つことなく食卓を囲むことができ、食事の時間そのものに変化があって楽しめる。テーブルの高さも工夫されていて、通常テーブルの平均的な高さといわれる六十八から七十五センチよりも、若干（二センチほど）低くすることで、向かいあう人との距離感を近く感じさせる。ほんのわずかな差なのに、そこには家族の距離を縮める大きな違いがある。それは家族と一緒に過ごす時間を大切にする、市川さんの暮らしから生まれたサイズ感覚なのだろう。

テーブルのふたつの引き出しには、市川さんのふたりのお子さん、お姉ちゃんのしのちゃんと弟のなおきくんの宝物がそれぞれ大事そうにしまってあった。他の場所でなく、ダイニングテーブルであることが、「家族の大切な場所はここなんだよ」と教えてくれているみたいだった。

ゲイミンカン
新潟県上越市安塚区上船倉804
電話025・593・2471
http://www.geiminkan.com/
＊工房で常設ショップではありません。
ギャラリーはありますが、伺う場合は必ず事前にご連絡を。

木の先生

秋に初めて市川さんのもとを訪れてから、機会があってその後も二度ほど伺った。冬、雪の多い新潟県の中でも、安塚区は特に雪深い地域になる。車の窓から見える景色も、最初に訪れたときに見たこっくりとした秋の色あいから、白と灰色という冬色のグラデーションへと変わっていた。山沿いの道には除雪した雪で壁ができている。多いときには積雪五メートルにまで及び、そこまで雪が降ると校舎の一階部分は雪ですっぽり覆われる。四月に訪れたときにも、月の半ばを過ぎたというのに雪はまだ残っていて、完全に溶け切るのは五月になると話していた。そうした厳しい環境での暮らしは、私が想像するよりも大変なことが多いに違いない。

「冬は毎日雪かきもあるし、寒さも厳しいし大変ですよ。だから他の土地に移ることを考えたこともありました。でも自分たちがここに移り住んだときに、地域の人たちが温かく迎えてくれて、本当に良くしてもらったんです。その感謝の気持ちもあるし、ここにしかない素晴らしさもたくさんあるから、この土地で暮らし続けようと思っているんです」
そう語る市川さんは東京生まれの東京育ち、のりえさんは石川県出身。特にこの土地につながりがあったわけではなく、工房を探しているときにたまたま知人から安塚区の校舎のことを聞いたことがきっかけで、移り住むことになったそうだ。「若かったから」とふたりは笑って話すけれど、まったく知らない土地で暮らし始めるのは勇気が要っただろう。そう思う一方で、愛着を持って暮らしている今の土地で、ものを作り出していく素晴しさも、ふたりの表情から伝わってきた。

校舎を見たときはそのスケール感にまず驚いたのだけど、大きいのは校舎だけではなかった。市川さんは家具を中心に作っていて、他にも建築家と組んでキッチンや洗面所、収納などの住宅家具なども手がけている。だから工房を見せていただくと、作るものに比例するように大きな機械が天井の高い部屋に設置され、材料となる木材もたくさん立てかけてあった。

　私はどうも木材を見分けるのが苦手だ。普段手にしているもので、まな板に使われているイチョウ、お櫃の杉、木の器やバターケースに使われている山桜、大体このくらいなら間違いなくわかるのだけれど、他の木材になってくるとあやしい。木は木目ひとつで表情も変わるし、漆や塗装が加わってくるとますますわからなくなってしまう。工房にはサンプルの木片がたくさんあって、ひとつひとつ手に取って見ていると、特徴やどういったものに使われているか、どの国の木かなど市川さんが色々教えてくれた。まさに「木の先生」だ。学生の頃から木が大好きで、今でも材料の木を仕入れるときが一番ワクワクするそうだ。「どの木が一番というのはないんです。それぞれの木に魅力と使い道があると思っているから」

　工房の他にも木を保管している場所があるというので案内してもらうと、そこは高床式になった体育館の床下の倉庫部分。暗くて最初はわからなかったけど、次第に目が慣れるにつれて、保管されている膨大な木材が薄暗い倉庫の中から浮かんで見えてきた。真新しい木材以外にも、解体された家から引き取った床の間で使われていた大きな一枚板や、洋裁用に使われていた作業台の天板でルーレットの細かいキズ跡が点々と残っているものなどもあった。

市川さんが作る作品の中に、さまざまな種類の木を使った木のフレームがある。白い壁にかかったそのフレームは、美しい木目の表情も楽しませてくれる。同様に一枚板を正方形に裁断し、絵に見立てた作品もある。木目は作ろうとして作れるものではなく、自然に時間を経てできた美しさがある。そのものをどう生かすかを考えた市川さんならではの作品だ。中には古木を使ったものもあり、一度は廃材とされたものが市川さんの手によって、息を吹き返して生まれ変わっている。古木は他にもテーブルの天板に使われていたり、アングルステージや椅子の座面などにも使われていたりする。

鉄などの異素材を使う場合は、すべてを自分で作るのではなく、より良いものを作るために近くの鉄工所に依頼をしているそうだ。その中で「どこかで見たことがあるスツールだなあ」と思って座っていると「それは昔から中華料理屋さんなどで使われているパイプ脚のスツールですよ。使い勝手はいいのに、シートのビニールがはがれれば捨てられてしまう。その脚を利用したものなんです」と市川さん。脚は再度塗装をして強化し、座面を木に換えただけで、どこか懐かしいのに新鮮な感じがする。

「プロダクトとして形が残っているものは、やはりものとして完成していると思うんです。それがちょっとしたことで簡単に捨てられてしまう。そうしたものを木と組みあわせることで再生させて、何かできないかと考えたんです」

いつかそんなテーマの個展を行ってみたいとも、市川さんは話していた。

学校や木を保管する倉庫、見たことがない機械。どれも大きくて普段の自分の暮らしにはないサイズのものばかりだから、ただでさえ小さい自分が、さらにふたまわりくらい小さくなったような錯覚を起こしてしまう。サイズ感覚やほどの良い広さというものは人によってまちまちだ。この場所は市川さん自身のスケール感が大きいからこそ、使いこなせているのだろうと思う。

倉庫で見かけた古い一枚板。あの板を使って市川さんにいつかきっと大きなテーブルを作ってもらおう。でき上がった大きなテーブルを想像していたら、フキノトウが顔をのぞかせていた丘から校舎を見下ろしたときのように、広々とした気持ちになっていた。

麹箱

実家のお正月用のお餅は、昔から二軒隣のお団子屋さんに頼んでついてもらっている。普段お店では、餡子と焼き目のついたみたらしのお団子のみが売られていて、小さい頃からよく食べていた。ここのお餅は舌触りがなめらかで伸びが良く、お米のやさしい味わいがする。それは私にとって馴染みのある味であると同時に、一年に一度だけ出会える特別な味でもあるのだ。

毎年大晦日が近づくと、パリッと糊の効いた上着を着たお店の人が、大きなのし餅と大小の鏡餅を届けてくれる。上着の白とお餅の白の真新しさが目にまぶしく、表面のサラサラしたお米の粉も、昼間の光に照らされて小さくピカピカと光っている。そのお餅を、まるでたとう紙にくるまれた着物でも扱うように、母が大事そうに受け取る姿は、お正月のちょっとした儀式を見ているようで何だか有り難い心地がする。

お餅が届くと掃除など他の用事をしていても、ひとまず中断ということになる。まだやわらかいうちに急いで切ってしまわないと、固くて切れなくなってしまうからだ。米粉のかすかな香りを感じながら、包丁にぐっと力を込め、真っ白いのし餅に切れ目を入れていく瞬間は「ああ、もうすぐ新年を迎えるんだな」と実感するときでもある。切り終えた四角いお餅は長い木箱の中へ、タイルのように縦に並べてしまっておく。小さな鏡餅も、神棚の掃除が終わるまで箱の中で待機。手のひらに載るほどの小さな鏡餅がぽこぽこと並んだ様子は、雪だるまが整列しているようでかわいらしい。ふたをかぶせた木箱が寒い廊下に運ばれて、その上に買ってきたばかりのしめ飾りなどが置いてあるのを見ると、いよいよお正月気分も高まってくる。

木箱はお餅が届く前に納戸から出して洗っておく。外の冷たい水で手を赤くしながらタワシを使ってガシガシ洗い始めると、乾いた木が息を吹き返したように水を含んで色が濃くなる。水を切って日が当たるところに立てかけておけば、冬の乾いた空気にさらされて徐々に色は冷め、もとの枯れた木の色へと戻っていく。日が傾くまでしっかり干して、カラッカラに乾いたところでようやく出番待ちということになる。

つい最近までずっとこの木箱のことを、お餅専用の箱だと信じて疑わなかった。家ではお餅が入っているところしか見たことがなかったから、他の用途など考えもしなかったのだ。それが母によくよく聞いてみると、もとは麹箱だったらしい。麹箱とは、米や麦などの麹を作る際に、麹床として麹を寝かせて発酵させるために使われるもの。どうして家にあるのかは、母が嫁いでくる前からのことらしいので、本当のところは今ではもうわからない。もしかしたら祖母が若かった時代には、家で麹を作るぐらいのことはしていて、それがそのまま残っていたのかもしれない。いつからかお正月のお餅をしまっておくための道具として、使うようになっていったのだろう。

掃除を終えて、鏡餅をそれぞれの場所に置いていく。大きな鏡餅は懐紙を敷いたお盆に載せて居間へ。その他の小さな鏡餅は懐紙にそのまま載せて、まず神棚に三つ、仏壇にはふたつ。他にも台所の荒神さま、隠居のお不動さま、外にあるお稲荷さまにふたつずつと全部で十一個のお供えをする。そうすると木箱の中にはぽっかりと空きができる。切ったお餅も元旦から家族みんなして、ツルツルとたくさん食べるものだから、木箱の中はあっという間に白が占める面積よりも、木の地肌の割合のほうが大きくなる。お餅はカビが生えるのも早いからちょうどいいのだけど、三箇日が終わる頃には早々にタッパーなどに移されて冷凍庫行き。木箱のお役目はせいぜい一週間あるかないかで、あとの三百六十日ほどは納戸の中。まるでセミの一生のように、表舞台に出るのはほんの一瞬だけれど、それまでは出番をじーっと静かに待ち続けている実直な道具なのだ。

　お節料理を入れる漆のお重や、お屠蘇用の朱塗りや錫などでできた盃も、年間の中では出番の少ない贅沢な道具。代々続くような立派な道具は家にはないけれど、何の変哲もない古く枯れたこの木箱も、あらためて考えると贅沢な道具といえるのかもしれない。

隠居

先にも書いたが実家には母屋と並んで、古い平屋が建っている。普通ならそれを「ハナレ」というのだろうけど、家族はみんな「インキョ」と呼ぶ。私も何の疑問も持たずに幼い頃からずっとそう呼んでいた。そこは祖母が自室として使っていた建物で、呼び名の由来もそんなところからきているのだろう。幼い頃は「隠居」に入ると感じる、古い家独特のちょっと湿り気のある木の匂いや、夏でもヒヤッとする空気、歩くとみしみしいう廊下が怖くて、用がなければ近寄らずにいたほどだった。

隠居にいると、小学生の頃国語で習った「モチモチの木」という物語を思い出す。主人公の少年は、夜中に見る木の影や風の音が恐ろしいものに感じられて、外にある厠になかなかひとりでは行けず、いつもおじいさんに付き添ってもらっていた。幼い私と少年の怯えていたものがどこか似ているような気がして、今でも忘れられない物語だ。話の中に出てくるのはモチモチの木だったけど、わが家にはちょうど同じように、見上げるほど大きなどんぐりの木が生えている。晩秋の頃になると、どんぐりの実が風に吹かれるたびにカラカラ音をさせながら瓦屋根をつたって地面に落ちていく。そんな音も、静まり返った夜更けに聞くとドキッとする。さすがに厠は外にないけれど、物語の家の様子と「隠居」を頭の中で勝手に重ねあわせていた。当時はあれほど怖いと思っていたのに、なぜか今は祖母の思い出とともに、この古い建物が好きになっている。

「私は食いしん坊ですから」。これは祖母がよく口にしていた言葉。祖母は細くて小さい身体だったのに、この言葉の通り、よく食べる人だった。私が食べることに興味を持つようになったのも、彼女から譲り受けた気質だとこの頃強く思う。炊事・洗濯・掃除などは、日課として九十歳近くまでごくごく自然にこなしていたし、姿が見えないと思うとちょっとした買い物に出かけたり、庭で草刈をしていたり。とにかく足腰も丈夫だった。家族はみんな、心配しながらも、こまごまと動く祖母の姿を普通のこととして捉えていた。

祖母には祖母なりの日々のリズムがあった。早朝に起きて庭の掃除などをして、朝食前に新聞を読みながらお茶を一杯。その後お風呂場で、ラジオ体操でも何かの健康本の真似でもない祖母オリジナルの体操が始まる。細い体だったから腰を叩いていてもゴンゴンと、骨をじかに叩いているような音が聞こえてくる。骨が折れてしまわないかとこちらがヒヤヒヤしてしまうほど。体操を終えてすっきりした様子でようやく朝ごはん。三時頃にはきちんとお茶の時間をとって、甘いお菓子と共に緑茶をすすり、日が傾き始めると、母親が夕食の支度を始める前の時間、台所に立って何かを作る。体内時計は「食べること」を軸に動いていたようだった。

祖母がよく作っていたもの。春先は庭で採れたフキノトウを味噌和えにしたフキ味噌。フキが伸び始める頃になると、アクで指先を茶色く染めながら筋を取ってフキを煮る。初夏になると自宅の梅を使って梅干を漬け始め、前年の同じ時期に漬けた梅酒も真夏にはちょうど飲み頃になっていた。秋にはかぼちゃやさつまいもとりんごを一緒に煮る甘い香りが漂って。お正月が近づくとたくさんの昆布巻きをこしらえる。基本的には祖母が自分で食べたいと思う一品が、年間を通して何かしらテーブルに加わった。そこに並ぶ季節の味には、ちょっとした苦味や、美味しさの裏側にあるえぐ味といったものがあって、幼い頃の舌ではその味の良さはわからなかった。煮物もどちらかというと苦手で、祖母の料理を好んで食べようとはしなかった。それがいつの間にか古いものが好きになっていたのと同じように、苦手だったはずの味を旨味として自然に食べられるようになっている。今の私だったら祖母の料理も美味しく食べられるだろうに……そう思っても、仏壇に向かって「ごめんね」と言うしかないのだけれど。

祖母が暮らした「隠居」には今、少しずつ手を加えながら私のものを置いている。だいぶあちこち傷んでいて、冬は寒くて暖房を入れたとしても、そこでの寝起きはとてもじゃないけどできそうもない。それでもからりと晴れた日の朝は、滑りの悪くなった木戸を開けて風を通している。

春の日差しを感じて庭の隅っこに顔を出したフキノトウは、開く前にあわてて摘み取りフキ味噌に。ほころび始めた梅の花も青い実がふっくらとしてきたら収穫して、梅酒や梅干にする予定。夏には蚊をはらいながら、すぐに生い茂る雑草とのイタチごっこも始まる。寒くなれば近所のおじさんが瑞々しい白菜をたくさん持ってきて、どう料理に使おうかと頭を悩ませながらもせっせと毎度の食事に使ってみたり。自然相手の作業は案外とせわしない。祖母のように自然に日々を重ねていきたいと思うけれど、まだまだ年季がいりそうだ。そう簡単に私のリズムで、というわけにはいかない。祖母が暮らした「隠居」の縁側に寝そべってみる。日に当たってぬくんだ木の感触を背中で味わいながら、祖母のリズムを頭の中でなぞらえてみた。

私の棲みか――あとがきにかえて

　家から十五分ほど歩くと、とうとうと流れる利根川を見渡す土手に出る。向こう岸に渡れば茨城県という県境。その支流にあたる小さな川も、家のすぐ近くを流れている。川が流れる景色は生まれたときからあまりにも身近にあったから、しばらくの間、特別な存在とは思っていなかった。自分が心地良く暮らしていく環境の条件として、実は川が大きな位置を占めている。近くに川がない場所で暮らしてみてはじめて、そのことに気づいたのだ。意識していなくても、川のある場所に行くとふっと気持ちがゆるむ。近所の川だけでなく、隅田川でも多摩川でも、旅先の京都や金沢でも。川沿いの散歩はやっぱり楽しいし、何といっても落ち着くのだ。

風景は暮らしに直接的に関わるものではないから、なくても困らないけど……いや、本当はないことで、気付かないうちにすごく困っていたのかもしれない。困るというか戸惑うというか。靴をあべこべに履いて歩きづらくなる感じとでも言ったらよいのか。私はそれがたまたま川だったけれども、海という人がいれば山という人もいると思う。自然だけでなく、公園や住宅街、街中の賑やかな空気感と答える人もいるだろう。「なぜ川か」と聞かれても、理由はもう「ただ何となく」としか言いようがないのだけど。

幼馴染みのような川とともにある季節や時間の風景は、いつの間にか感覚として記憶に刻まれている。川の水の匂いと緑の深い匂いを感じる頃になると、蛙の鳴き声が聞こえてくる。雨蛙なんてかわいいものじゃない。牛蛙の鳴き声だ。「グウォーグウォー」と響くような低い声が聞こえてくれれば、田植えも終わって稲も青々としてくる。その稲が黄金色に変わり、風に吹かれてシャラシャラ軽い音をさせる季節には、川から吹く風も乾いて涼しくなってくる。冬のキュンと冷えた空気の中、まだ眠っている街を「寒い、寒い」と言いながら抜けて、日の出を見に行くのもちょっと得をした気分になる。堤防の雑草たちはうっすらと白い霜をまとって、昼間とはまったく違う姿をしているのだ。川は淡いブルーグレーから日の出とともに刻々と色を変え、透明感のある桜の花びらのようなトーンへと変化していく。それも毎日まったく同じ景色ということはない。胸の中にザワザワしたものがあっても川を見ていると洗い流されていくような心地がする。

不安なことだらけで気持ちがしぼんでしまいそうなときでも、美味しいごはんを食べているとほんの少し気持ちがふっくらするし、焦げた鍋底をゴシゴシ洗っていると、鍋がきれいになっていくにつれて、頭の中のモヤモヤにもちょっと晴れ間が見えてくる。果樹園の友人が贈ってくれた桃の香りを思いっきり吸い込んで、家族の笑顔、山々、空が近く緑が濃い夏の畑に思いを馳せてみたり。そんな小さな日々のひとコマひとコマを、より鮮やかにしてくれているのは、私の暮らしの中にあるものたちと、その向こうにいる人や土地なのだ。

川が私の暮らしに結びついていることと同じように、慣れ親しんだもののの中で日々生活し続けていくことは、自分がそれまで思っていた以上に大切なことだと感じている。この先もずっと大切なもの、大切な人と一緒に私の暮らしを積み重ねていきたい。

中川ちえ　なかがわ・ちえ
エッセイスト。
やわらかく、自由、しかし真摯なまなざしは、
毎日の暮らしと、旅に、食に、ひとに、ものに。
著書に『おいしいコーヒーをいれるために』
（メディアファクトリー）、
『器と暮らす』（アノニマ・スタジオ）。

写真　中川ちえ
企画・編集　田中のり子
デザイン　大野リサ
製版設計　石川容子（凸版印刷）
印刷進行　藤井崇宏（凸版印刷）
用紙　奥秋真一（朝日紙業）

ものづきあい

2007年7月30日　初版第1刷発行

著者　中川ちえ
発行人　前田哲次
編集人　丹治史彦
発行所　アノニマ・スタジオ
東京都台東区蔵前2-14-14 〒111-0051
電話 0120-234-220
ファクス 0120-234-668
http://www.anonima-studio.com
発売元　KTC中央出版
東京都台東区蔵前2-14-14 〒111-0051
印刷・製本　凸版印刷株式会社

内容に関するお問い合わせ、ご注文などはすべて
右記アノニマ・スタジオまでおねがいします。
乱丁、落丁本はお取り替えいたします。

定価はカバー表示してあります。
ISBN978-4-87758-652-2 C0095

アノニマ・スタジオは、
風や光のささやきに耳をすまし、
暮らしの中の小さな発見を大切にひろい集め、
日々ささやかなよろこびを見つける人と一緒に
本を作ってゆくスタジオです。
遠くに住む友人から届いた手紙のように、
何度も手にとって読みかえしたくなる本、
その本があるだけで、
自分の部屋があたたかく輝いて思えるような本を。